LE DANSEU MONDAIN

MONDAIN

Paul Bourget

I

– « Voulez-vous nous rejouer ce *Fox-blues*, mademoiselle Morange ? » dit le maître de danse à la jeune femme assise au piano dans le petit salon d'hôtel qui servait à cette leçon. « Et vous, mademoiselle Favy, » – il s'adressait à son élève, – « nous reprenons ?… Plus vivement, cette fois. Rappelez-vous : Ne pas briser l'élan. La marche moins raide que dans le *One Step*. Des pas de côté, un en avant, légèrement fléchis, un peu élancés. Donner l'impression d'un oiseau qui va s'envoler. Ça, c'est bien, très bien. Ne pliez pas le genou… »

Et les deux jeunes gens glissaient, étroitement enlacés, au rythme de la musique, – cette musique précipitée et monotone, mélancolique et saccadée, qui caractérise les danses d'aujourd'hui. Depuis la guerre de 1914 et sa longue tragédie, il y a de la frénésie et de la tristesse, à la fois, dans les moindres gestes d'une société trop profondément ébranlée. Même ceux qui ne devraient, comme une sauterie dans un bal, n'être qu'un plaisir et qu'une détente, sont touchés de névropathie. Un ruban, noué à la boutonnière du veston ajusté du maître de danse, attestait que, peu d'années auparavant, – on était en 1925, – il prenait part en effet à cette terrible guerre et s'y distinguait. Ce martial épisode semblait bien absent de son visage, très viril certes dans sa joliesse, mais comment concilier de sanglants et sinistres souvenirs avec l'espèce de frivole ferveur qu'il mettait à conduire les pas de son élève : une jeune fille de vingt ans, souple, mince, et dont les traits délicats étaient comme éclairés par des prunelles bleues d'une intensité singulière ? Ce couple élégant, agile, uni dans un accord balancé de tous les mouvements, allait et venait ainsi, dans le décor banal et faussement stylisé de ce salon d'un hôtel de la Riviera, ouvert largement sur un lumineux et grandiose paysage.

La baie d'Hyères se développait, encadrée d'un côté par le sombre massif des Maures, de l'autre par les montagnes de Toulon, et fermée par les îles que les Grecs appelaient jadis les Stoechades, les « rangées en lignes ». À la pointe de l'une, celle de Porquerolles, surgissent les récifs des Mèdes, *Mediae Rupes*, – les Roches du Milieu. Ce nom justifiait celui de l'hôtel, britanniquement et barbarement baptisé *Mèdes-Palace*. Il était situé sur une hauteur, à mi-chemin entre la ville d'Hyères et la rivière du Gapeau.

Par ce clair et tiède matin du mois de mars, cet immense horizon était admirable de splendeur et de grâce. Le sombre azur de la mer, doucement marié au bleu plus léger du ciel, s'apercevait par delà le floconnement argenté des vastes champs d'oliviers qui dévalaient jusqu'au rivage, et, tout près, c'était le jardin de l'hôtel, fraîche oasis de palmiers et d'eucalyptus entre lesquels foisonnaient des roses et des mimosas en pleine floraison. Comme ce salon servait aux leçons du danseur professionnel de l'établissement, le milieu en était vide. L'anglomanie qui avait présidé à l'appellation du Palace se reconnaissait à la forme des fauteuils et des chaises, évidemment commandés outre-Manche et qui plaquaient leur massif acajou contre les murs, décorés eux-mêmes de gravures anglaises. Il semblait paradoxal qu'il y eût à cette minute, dans ce coin londonien, quatre personnes de nationalité française : Mlle Morange la pianiste, le maître de danse et son élève, une femme plus âgée enfin, qui était la mère de la jeune fille. Leur seul aspect le disait assez et cette ressemblance des physiologies qui décèle une analogie profonde des natures. Chez l'une et chez l'autre, une extrême sensibilité nerveuse se reconnaissait à vingt petits signes identiques : à la finesse des linéaments du visage, à celle des pieds et des mains, à la mobilité tour à tour et à la fixité de la bouche et du regard, à la gracilité fragile de tout l'être. Mais la flamme de la vie était intacte chez la jeune fille. Autrement, se serait-elle prêtée avec cette ardeur gaie à l'enfantin plaisir de cette leçon de danse ? Mme Favy, elle, donnait, au contraire, l'idée d'un organisme usé, avec la pâleur de son visage amaigri taché de rouge aux pommettes. Son souffle, par moments si court, et la légère saillie de ses yeux trop brillants, comme il arrive dans certaines névroses du cœur, dénonçaient une maladie chronique, et aussi le léger tremblement de ses doigts, aux ongles cyanosés, qui s'occupaient en ce moment à tricoter une casaque de laine, destinée sans doute à quelque vente de charité. Étendue parmi des coussins, sur une chaise longue en paille, apportée pour elle du jardin, elle relevait sans cesse la tête et abaissait son ouvrage, pour se caresser avec tendresse à la gracieuse vision de sa charmante enfant, naïvement amusée de ces tournoiements et de ces pas rythmés sous la main conductrice du maître. La musicienne, elle aussi, regardait, dans la haute glace placée au-dessus du piano, l'image mouvante du jeune couple, avec une tout autre expression d'amertume et de déplaisir. Elle était jolie également, mais son masque sans jeunesse, quoiqu'elle eût à peine vingt-sept ans, disait la mélancolie d'une destinée sans horizon, emprisonnée dans des conditions trop dures. Elle tenait, au *Mèdes-Palace* l'emploi de danseuse professionnelle. Sachant l'un et l'autre un peu de musique, elle et son camarade se rendaient le service de s'accompagner dans leurs leçons, quand ils pouvaient, afin d'épargner à leurs élèves et de s'épargner l'assourdissement du gramophone.

– « Cette fois, » dit le maître de danse, le piano à peine arrêté, « ça y est. Vous n'avez pas fait une faute, mademoiselle Favy. »

– « Savez-vous que nous avons joliment travaillé ce matin, monsieur Neyrial ? » répondit la jeune fille, en riant, « *Scottish espagnole, Paso doble, Java*, et, pour finir, *Fox-blues*, c'est quatre danses que j'ai bien dans les jambes maintenant. Je continue à préférer le *Tango*. Ces airs espagnols sont si prenants ! On les sent passer dans ses gestes. Ce n'est pas comme la *Samba*. »

– « Moi non plus, » fit le jeune homme, « je ne l'aime pas beaucoup. Tournée, pourtant, elle a son charme. Sautée, elle devient trop vite excentrique. »

– « À la bonne heure, » dit Mme Favy, qui se relevait de sa chaise longue, aidée par sa fille. « Voilà ce que j'apprécie en vous, monsieur Neyrial. Vous gardez du goût dans ces danses modernes. Elles en manquent si facilement ! »

– « C'est que je considère la danse comme un art… » répondit vivement Neyrial. « La danse, c'est le rythme, c'est la mesure, c'est la beauté du mouvement, ce que mademoiselle vient de dire si justement, de la musique gesticulée. »

– « Quel dommage ! » repartit Mme Favy, « que tous vos confrères ne pensent pas de même ! Je vous avoue, quand Renée m'a demandé à prendre des leçons avec vous, j'ai eu un peu peur. Pensez donc. De mon temps, nous ne connaissions que le quadrille, la polka, la valse… »

– « Je vous l'ai dit aussitôt, maman, » interjeta la jeune fille, « qu'avec M. Neyrial, ces danses d'aujourd'hui, qui vous déplaisent tant, s'ennoblissaient, s'idéalisaient… »

– « J'aime mon art, mademoiselle, » fit Neyrial en reconduisant Mme Favy et son élève jusqu'à la porte, « et, ce que l'on aime vraiment, on le respecte. »

Les deux femmes étaient à peine sorties de la pièce que la pianiste, à demi tournée sur son tabouret, disait, avec une ironie singulière, au jeune homme en train d'allumer une cigarette :

– « Vous n'avez pas honte de lui servir de ces boniments, à cette pauvre petite ? »

– « Quels boniments ? » répondit-il.

– « J'aime mon art… Tout ce qu'on aime, on le respecte… »

Son accent se faisait de plus en plus railleur pour répéter les paroles de son camarade en contrefaisant son accent, et elle insistait :

– « Voyons. Nous nous sommes mis danseurs mondains, vous et moi, dans les hôtels, parce que nous savions bien danser et que nous n'avions pas le sou. Vous en profitez pour avoir des histoires de femmes. Tant qu'il s'agit de personnes qui ont de la défense, rien à dire ; mais bourrer le crâne à une jeune fille, quand on ne peut pas l'épouser, ce n'est pas propre, et vous ne pouvez pas l'épouser. Jamais le colonel Favy, professeur à l'École de guerre et qui sera demain général, ne donnera sa fille à un danseur d'hôtel. Il n'est venu ici que peur vingt-quatre heures. De le voir passer m'a suffi pour le juger. À vous aussi. Rappelez-vous. Il y avait un thé-dansant ce soir-là. La petite et sa mère n'en manquent pas un. Ont-elles paru ? Non. À cause du père évidemment… »

– « Vous voilà encore jalouse », dit Neyrial. « Vous n'en avez pourtant pas le droit. Répondez ai-je été loyal avec vous ? »

– « Très loyal, » fit-elle sur un ton de dépit qui ne s'accordait que trop avec la subite contraction de son visage aigu.

– « Quand vous m'avez rapporté, » continua Neyrial, « cette conversation, entendue par hasard, qui calomniait nos rapports, vous ai-je offert, oui ou non, de rompre mon engagement ici, et d'aller, à Tamaris, à *l'Eden* où j'avais, où j'ai encore une offre ? Vous m'avez prié de rester, en me disant que votre sympathie pour moi vous rendrait cette séparation pénible. Vous m'avez, à ce propos, fait cette déclaration très nette, je vous en ai estimée, qu'une fille, dans votre profession, ne devait pas se laisser courtiser. J'entends encore vos mots : le mariage ou rien. Nous avons convenu alors qu'il n'y aurait jamais entre nous qu'une bonne et franche amitié. Il exclut la jalousie, ce pacte, et c'est si propre, pour employer votre mot de tout à l'heure, une relation comme la nôtre, ce compagnonnage de deux artistes qui aiment profondément leur art… Vous allez encore parler de boniments… »

– « Dans ce moment-ci, non, » répondit-elle. « Ça n'empêche pas que j'avais raison tout à l'heure, et vous le savez bien… Mais voilà miss Oliver qui vient pour sa leçon. »

– « Vous n'allez pas de nouveau être jalouse ? Sinon… »

Il avait jeté cette phrase de taquinerie, en riant, cette fois, du rire d'un homme qui ne veut pas prendre au sérieux les sentimentalismes d'une femme qu'il n'aime pas. Ce fut de nouveau d'un accent très sérieux que Mlle Morange lui répondit :

– « Elle est bien belle, mais elle ne vous regarde pas comme l'autre, ni vous non plus… »

Une jeune fille entrait maintenant, qui offrait un type accompli de la beauté anglaise grande, énergique, assouplie par le sport, son teint de rousse fouetté par la brise de la mer. Ses cheveux coupés « à la Jeanne d'Arc » ou « à la typhoïde », comme disent indifféremment les coiffeurs d'aujourd'hui, lui donnaient un air garçonnier que son verbe haut et trop direct accusait encore. Sa jupe courte découvrait des mollets vigoureux comme ceux d'un coureur, et son corsage, presque sans manches, des bras tannés par le soleil, dont un boxeur eût envié la musculature. Quel contraste avec la frêle et mince Française qui s'essayait, dix minutes auparavant, à ce *Fox-blues* qu'elle dansait si finement, et, tout de suite, l'arrivante dit avec un accent, qui rendait plus excentriques les termes d'argot qu'elle croyait devoir employer pour « être à la page », – parlons comme elle :

– « Pas de *Tango*, n'est-ce pas, monsieur Neyrial. C'est moche, le *Tango*, vous ne trouvez pas ?… Un *Two-steps* d'abord, puis une *Samba*, mais sautée, pour gigolos tortillards. Que ce mot exprime bien la chose, pas ?… »

Et s'adressant à Mlle Morange qui attaquait le morceau demandé :

– « Parfait, mademoiselle. Rien que cet air me donne des fourmis dans les pieds… »

Les doigts de la pianiste continuaient de courir sur les touches, et plus allègrement, en effet, plus brutalement, comme gagnés par la vitalité de la jeune Anglaise. Celle-ci virevoltait aux bras de Neyrial, qui, lui aussi, avait changé. Son allure, à présent, se faisait aussi alerte, aussi trépidante qu'elle était réservée et mesurée tout à l'heure. Si la danse est un art, comme il disait, elle est également un sport. Il y a de l'athlétisme dans le métier de gymnaste que le jeune homme exerçait au bénéfice de cet hôtel, et c'était le sportsman qui dansait maintenant. Un témoin de deux leçons successives en fût demeuré saisi. À la façon dont il enserrait le corps de cette créature animalement robuste, à la pression de sa main appuyée sur cette taille presque carrée, il était visible qu'il se plaisait à partager sa fougue, comme tout à l'heure le nervosisme un peu mièvre de Renée Favy, et pas plus maintenant qu'alors, il ne cessait de garder au fond des yeux un je ne sais quoi de distant, de lointain, comme s'il assistait aux divers épisodes de son étrange vie, sans se donner tout à fait à chacun. Mais qu'il s'y prêtait complaisamment ! Comme il semblait ne faire qu'un avec sa véhémente partenaire, tandis qu'ils attaquaient tour à tour la *Samba* demandée après le *Two-steps*, un

Shimmy après une *Huppa-huppa*, toujours plus fébrilement, sans que l'Anglaise prononçât d'autres paroles que des *So nice* et des *Fascinating*, jusqu'à un moment où l'apparition, sur le seuil de la porte, d'un jeune homme en vêtements de tennis, une raquette à la main, la fit arrêter son danseur !

– « Eh bien ! monsieur Favy », demanda-t-elle, « quel est le *score* ? »

– « Six deux, six quatre, » répondit l'arrivant.

– « *All right* ! » fit-elle gaiement, – et serrant les mains alentour avec une énergie presque masculine : – « Merci, mademoiselle Morange. Merci, monsieur Neyrial. Je vous retrouve au *Golf* cet après-midi, monsieur Favy ?… Je me sauve. Nous avons des personnes un peu *formal* au lunch. Il faut que je monte m'habiller plus vieux jeu. »

Et, riant de toutes ses belles dents, elle sortit de la pièce, suivie de Mlle Morange, à qui la seule présence du frère de Renée avait rendu son expression mécontente d'auparavant.

– « À deux heures, monsieur Neyrial, n'est-ce pas ? » avait-elle dit, en repliant sa musique et fermant le piano, « pour notre *numéro*. »

Pas un mot, pas un geste de tête à l'égard du nouveau venu, qui demanda, une fois les deux jeunes gens seuls :

– « Qu'est-ce que peut avoir contre moi Mlle Morange ? Je suis toujours correct avec elle, et quand il nous arrive de danser ensemble, je sens son antipathie. Vous me l'avez dit un jour, je me rappelle, et c'est si juste ça ne trompe pas, la danse. Rien ne révèle davantage le caractère des gens et ce qu'ils pensent les uns des autres. »

– « Elle est un peu sauvage, » répondit Neyrial. « Elle n'est pas contente de sa vie. Ça se comprend. Son père tenait un gros commerce. Il s'est ruiné. On l'avait élevée pour devenir une dame. Elle a besoin de gagner son pain, comme moi. Elle a pris le métier qu'elle a trouvé. Il y a deux différences entre nous. Elle a sa mère, à qui elle peut donner du bien-être, au lieu que moi, je n'ai plus de famille. Et puis, j'aime mon métier et elle subit le sien. Il est vrai que, pour une femme, ce métier est moins amusant. Nous, les hommes, nous ne sommes guère intéressants à étudier, tandis que chaque danseuse, c'est un petit monde. »

– « Et quelquefois mieux… » répondit Gilbert Favy, – et sur une protestation de l'autre : – « Mais oui, mais oui…, » insista-t-il, « joli garçon, comme vous êtes, distingué, vous devez en avoir eu des aventures !… Surtout qu'une femme dans un hôtel, c'est libre. Le mari est loin. On ne se retrouvera pas. Donc, pas de chaîne. Le caprice, dans toute sa fantaisie et sa sécurité. Il suffit de causer avec vous, deux ou trois fois, pour constater que vous n'êtes pas bavard. »

– « Et c'est pour cela que vous voudriez me faire parler ? Le futur diplomate s'exerce à son métier, qui consiste à surprendre les secrets des autres, en flattant leur vanité. »

– « Vous désirez bien tout de même que l'on sache que vous êtes un monsieur et que votre famille ne vous destinait pas à enseigner la valse-hésitation dans les palaces ?… Mais, pardon, » – et il eut un geste caressant, – « me voilà en train de vous froisser, et, jugez si je suis un mauvais diplomate, au moment où j'ai un service à vous demander… »

– « J'espère que ce n'est pas le même que celui de l'autre jour ? »

« – Eh bien ! si, » répondit Gilbert Favy.

Une expression d'anxiété, presque d'angoisse, contractait ses traits, tandis qu'il continuait :

– « Vous ne savez pas ce que je traverse, depuis ces trois jours !… »

– « Vous avez encore joué ? » interrogea Neyrial. « J'espérais que non, en vous voyant passer ces dernières soirées dans le hall, en compagnie de madame votre mère et de Mlle Renée… »

– « C'est dimanche que ça m'est arrivé.

J'étais allé au Casino, pour le concert, simplement. D'avoir dû vous emprunter de l'argent, une fois déjà, m'avait été si pénible ! Ça m'est si pénible, en ce moment, de vous parler comme je vous parle Un Américain tenait la banque et perdait tout ce qu'il voulait. La tentation me prend. Je me rappelle ma chance de la semaine dernière, qui m'a permis de vous rendre ce que je vous devais, aussitôt… Je risque vingt francs d'abord… »

– « Et puis vingt autres, et puis cent, et c'est vous qui perdez tout ce que vous ne voulez pas, » interrompit Neyrial, « et maintenant, vous n'avez plus qu'une idée : retourner là-bas, prendre votre revanche… »

– « Oh » fit Gilbert, « si ce n'était que cela ! »…

– « Quoi alors ? Que se passe-t-il ?… »

– « Il se passe que le délire du jeu m'a grisé. On m'avait raconté qu'un des employés, – on me l'avait nommé, – prêtait de l'argent aux décavés qui présentaient des garanties sérieuses. Je me suis adressé à lui. J'ai eu mille francs. Je les ai perdus encore. Je me suis engagé par écrit, à les lui rendre dans la semaine. C'était dimanche, je vous répète, il faut que je les aie pour dimanche prochain au plus tard. Pouvez-vous m'aider ?… »

– « Je ne veux pas vous aider, » répondit Neyrial, en insistant sur ce : je ne veux pas. « Votre dette réglée, c'est le Casino de nouveau ouvert, d'autres parties en perspective, et d'autres pertes, plus graves peut-être… »

– « Mais si je ne les rends pas, ces mille francs, à la date fixée… »

– « Vous les rendrez plus tard, semaine par semaine, sur votre pension. »

– « Et si mon prêteur s'adresse à ma mère ? Malade du cœur comme elle est, à la merci des moindres émotions… »

– « Il ne s'adressera pas à elle. Le Casino défend expressément à ses employés d'avancer de l'argent aux joueurs. Madame votre mère parlerait, et cet homme serait renvoyé. Non, il sait qui vous êtes. Il sera parfaitement sûr que le fils du colonel Favy paiera aux échéances convenues, d'autant qu'il ne manquera pas de vous demander des intérêts. Vous serez un peu gêné. Ça vous fera réfléchir, et, en attendant, vous ne jouerez plus… »

À la simple mention du nom du colonel, Gilbert avait eu un sursaut, vite réprimé, comme si cette image, évoquée à cette seconde, lui était insupportable.

– « C'est bien, » dit-il d'une voix âpre et avec un regard sombre. « Je trouverai un autre moyen. »

– « Il y en a un plus simple, en effet, s'il vous répugne trop de discuter avec votre prêteur, » reprit Neyrial, qui avait remarqué le mouvement de son interlocuteur. « Vous ne voulez pas vous adresser à madame votre mère, à cause de son état de santé ? Écrivez la vérité à votre père, tout franchement, tout simplement… »

– « Mon père !… » fit Gilbert. Cette fois, une véritable terreur décomposait son visage. « Je me couperais la main plutôt que d'écrire cette lettre-là. Mon père, vous ne le connaissez que de réputation. C'est un magnifique soldat. Il a été admirable à Charleroi, à Verdun, sur la Somme, partout. Et l'homme vaut le soldat. Depuis que j'existe, je ne lui ai pas vu commettre une seule faute, de quelque ordre que ce soit, et cela, du grand au petit. Un exemple quelque affaire qu'il ait, il ne se presse jamais en écrivant, de sorte que vous diriez que ses lettres sont imprimées, tant les caractères sont bien formés. Ses élèves à l'École de guerre sont unanimes à reconnaître que son cours est une perfection. Son régiment, quand il commandait à Poitiers, faisait l'admiration de tous. Mais cette impeccabilité qui est la sienne, il exige qu'elle soit celle de tous autour de lui, et cela fait chez nous une atmosphère dans laquelle on étouffe. Cette discipline de chaque heure, de chaque minute, avec ce témoin toujours impassible, qui ne se permet, qui ne vous permet pas une négligence, une spontanéité, c'est accablant. Un autre exemple. Il est venu ici. Renée n'a pas osé danser pendant son séjour. Il adore maman, et si elle a perdu sa santé, j'en suis sûr, c'est qu'elle est trop sensible et qu'il ne s'en est jamais douté. Il l'a écrasée, et ne s'en rendra jamais compte, comme il nous a écrasés, ma sœur et moi. Seulement, nous sommes jeunes, nous, et quand un être jeune est trop comprimé, il explose. Nous en sommes venus à nous réjouir que les médecins aient envoyé maman dans le Midi. Au moins, ici, nous respirons librement. Cette joie de Renée de courir à bicyclette, de jouer au tennis, de danser, c'est sa libération à elle. La mienne, à moi, c'est le casino et le jeu. Pour que mon père comprît comment je me suis laissé entraîner, et me le pardonnât, il faudrait lui expliquer tout cela, est-ce que je peux ?… »

– « Vous appelez le jeu une libération, vous ? » dit Neyrial. « Mais c'est l'esclavage des esclavages, la passion à laquelle on fait le plus difficilement sa part ! »

– « Je n'ai pas joué par passion, » répondit Gilbert. « Je me suis assis à la table de baccara, je viens de vous le dire, par amusement et surtout avec l'idée d'avoir un peu d'argent, quand je reviendrai reprendre ma préparation aux Affaires étrangères. Avec les cent francs par mois que mon père m'alloue, pour toute pension, qu'est-ce qu'un garçon de mon âge peut devenir à Paris ? Pas de théâtre. Pas de restaurant. Rien que le travail tout le jour, et le soir, la maison, le silence entre papa qui ne prononce pas dix mots par heure, quelquefois, et maman, occupée avec Renée à une tapisserie… Je me suis dit : Si je rentrais avec trois ou quatre billets de mille francs, tout de même ?… Et sans cette guigne… »

– « Oui, on commence ainsi, » interrompit Neyrial. « Et puis… C'est un Anglais, Sheridan, qui prétendait qu'au jeu, il y a deux bonheurs le premier de gagner, l'autre de perdre. Autant dire que l'attrait du jeu, ce n'est pas le gain seulement, c'est le risque. Oui, on commence, comme vous, par penser aux quelques billets de banque à ramasser sur le tapis vert avec une carte heureuse, et, bien vite, ce ne sont plus ces chiffons de papier bleu qui vous remuent le cœur, mais cette inexprimable et toute-puissante sensation, faite d'incertitude, d'audace, d'avantages et de désastres possibles, – le risque enfin, je le répète. Quand une fois on a goûté à ce poison-là, il vous mord à fond. Il devient un besoin, comme l'alcool, la morphine, la cocaïne, l'opium, – toutes les drogues qui portent à son paroxysme la tension de notre être intérieur. Voilà pourquoi je vous ai refusé, tout à l'heure, l'argent que vous me demandiez. Vous ne jouerez plus, du moins ici, et chaque mois, la somme à prélever sur votre pension vous causera un petit ennui bien salutaire… »

– « Pour que vous parliez du jeu sur ce ton, » répliqua Gilbert, « il faut que vous l'ayez pratiqué vous-même. Vous en êtes guéri. Ce n'est donc pas une intoxication si dangereuse. »

– « On peut faire tant de mal aux autres, sans le vouloir, avec le jeu, » continua Neyrial. – Il ne relevait pas directement cette interruption. Mais son front s'était soudain barré d'une ride. Sa bouche se serrait. Visiblement, des souvenirs, restés trop présents, l'obsédaient. « Vous parlez de votre père… Si le mien, à moi, n'avait pas été un joueur, ma mère n'aurait pas vécu ses derniers jours dans la gêne, et je ne serais pas danseur mondain dans un palace… »

Gilbert Favy ne répondit rien. Le contraste était trop grand entre le sourire habituel de Neyrial et la physionomie qu'il venait d'avoir, presque tragique, celle d'un homme qui a beaucoup souffert, et devant qui se dresse brusquement sa destinée. Le fils du colonel tenait de sa mère une sensibilité trop vive pour ne pas le deviner il toucherait à des plaies secrètes en interrogeant davantage son interlocuteur. Celui-ci s'étant arrêté soudain de sa plainte et de sa confidence, les deux jeunes gens sortirent de la chambre, sans prolonger un entretien qui leur laissait à chacun l'impression d'une énigme pressentie chez l'autre.

« Mais qui est-il ? » se demandait Gilbert Favy. « Il est tellement supérieur à son métier par sa tenue, sa conversation, ses façons de sentir. Quel était ce père qui l'a ruiné ? Pourquoi s'est-il fait danseur ? Ce nom de Neyrial est-il son nom ? Si je lui avais dit toute la vérité, toute, m'aurait-il refusé ces mille francs ? Mais lui avouer ce que j'ai osé et ma honte, ça, c'était trop dur. Comment me tirer d'affaire ? Il y a son moyen, à lui, demander ce délai à ce Gibeuf… » C'était le nom de l'usurier du Casino. « C'est bien dur aussi, et, il a beau dire, inutile sans doute. Le mieux est d'aller à Marseille. Les brocanteurs véreux n'y manquent certainement pas.

Quand on a fait ce que j'ai fait, on va jusqu'au bout… On est dans l'irréparable. Mais le prétexte pour expliquer ce voyage à maman ? Il faut cependant sortir de là… Il le faut… »

« Comme il a peur de son père ! » se disait, de son côté, Neyrial. « Une dette de jeu, ce n'est pas si grave ! Qu'a-t-il d'autre dans sa vie dont il tremble que son père ne le découvre ?… Ai-je eu raison de ne pas l'aider ? Si pourtant son créancier du Casino s'adressait à sa mère ?… Non. Ces coquins-là sont des usuriers adroits qui redoutent trop le scandale. Et puis, je reparlerai à ce pauvre garçon. S'il n'a pas obtenu ce que je lui ai suggéré, ce règlement par échéances, je serai toujours à temps de lui avancer la somme, en exigeant sa parole de ne plus toucher une carte. C'est ce que j'aurais dû faire peut-être… En attendant, pensons à notre « numéro… » Il y a une figure à changer. »

II

Le « numéro », comme disait Neyrial, après Mlle Morange, dans le langage professionnel des dancings, était une espèce de ballet à deux, donné, à titre d'attraction, les jours où le directeur du Palace convoquait ses hôtes à une réunion appelée, professionnellement aussi, « thé-dansant ». Les deux artistes mettaient leur point d'honneur à exceller dans ces fantaisies qu'ils composaient le plus souvent eux-mêmes, sur quelque partition en vogue. Quand, à cinq heures, ce jour-là, ils se retrouvèrent dans le vaste hall, lui, svelte et mince dans son veston cintré, elle costumée pour ce « numéro », mais enveloppée d'une mante, ils avaient oublié, à prendre et à reprendre tout l'après-midi les figures de leur ballet, lui, ses soupçons sur les sottises possibles de Gilbert Favy, elle, ses aigreurs de la matinée. Un orchestre, installé sur une estrade, au fond, parmi des verdures, avait, dès leur entrée, attaqué un de ces airs de tango, chers à la sentimentale Renée Favy, et méprisés par la sportive miss Oliver. Les murs de l'immense salle, plus longue que large, se paraient d'énormes têtes de pierrots en étoffe blanche suspendues entre les lampes électriques voilées de bleu, de jaune et de rose. Des tables étaient disposées tout autour, où déjà les clients de l'hôtel prenaient, qui du thé, qui du porto, qui un cocktail, qui un whisky au soda, tandis que les groupes des danseurs commençaient de se trémousser, dans l'espace laissé libre au milieu. La rumeur des causeries se mêlait au bruit des instruments, piano, violons et cuivres. Tout ce monde – deux cents personnes peut-être – parlait anglais, buvait anglais, dansait anglais. Ici, deux jeunes filles, taillées en athlètes, comme cette robuste miss Oliver, tournaient ensemble, et s'essayaient au *corte*. Elles marchaient de ce pas fléchi en avant, léger, un peu hésitant, et leur couple en frôlait d'autres, étrangement disparates ici, une enfant de quatorze ans, conduite par un sexagénaire ; plus loin, une femme âgée aux bras d'un garçon de vingt ans. Dans ce pêle-mêle britannique, les têtes grises, plus nombreuses que les têtes brunes ou blondes, témoignaient d'une forte race où l'entraînement physique se prolonge indéfiniment. Le tout faisait une foule ondoyante et mouvante qui s'animait au rythme des sauteries exotiques, énumérées à la fin de sa leçon par Renée Favy. Elle-même était là, se tenant auprès de sa mère, invitée par l'un, par l'autre, et calculant avec une impatience que ses regards étaient tout près de trahir, la minute où Neyrial viendrait la prier. Il devait, par profession, servir de cavalier aux dames qui n'en trouvaient pas. Tout de suite, tandis que Mlle Morange, assise à l'écart, à cause de sa tenue d'Opéra, attendait le tour du « numéro », il avait entraîné celle-ci, puis celle-là, dans des *Foxtrott*, des *Shimmy*, des valses lentes et les autres danses répétées le matin avec son élève préférée, qu'il était venue inviter enfin. Sa façon de conduire sa danseuse variait avec chacune, modérant les trop vives, activant les trop lentes, si bien que toutes, revenues à leur chaise, ne tarissaient pas d'éloges :

– « Je ne sais pas pourquoi, » disait l'une, « c'est si reposant de danser avec lui, et cependant il ne vous laisse pas faire une faute… »

– « Voilà, c'est un gentleman, » répondait une autre. « Il n'abuse pas. »

– « Oui, on n'a pas besoin de freiner, avec lui, » disait une troisième.

– « Il serre de bien près cette petite Mlle Favy, tout de même !… » reprenait une quatrième. « Regardez-les… »

Et les propos de continuer, avec des rappels de turf et de vie cosmopolite :

– « Ils font une jolie paire à eux deux, et bien du même pied… »

– « Vous seriez très étonnée si cela finissait par un mariage ?… »

– « Un danseur de palace et la fille d'un colonel, y pensez-vous ?… »

– « Pourquoi pas ? Il n'y a pas de sot métier d'abord, et, par le temps qui court, celui-là est plus sûr que celui de rentier… »

– « Un colonel ? Mais, à Biarritz, le danseur mondain du palace qui s'est marié en fin de saison était un prince russe… »

– « Comme elle le regarde ! Elle est folle de lui, tout simplement. Ah ! si j'étais sa mère… »

– « Vous venez de dire vous-même qu'il est très convenable… »

– « Il n'en est que plus dangereux… Mais ce *fox* est fini. L'orchestre s'arrête. La lumière baisse. Ça va être le « numéro ».

Vous avez vu le programme ? »

– « C'est le même que celui d'il y a quinze jours et que l'on a redemandé le Printemps. »

Il se faisait un apaisement des voix maintenant, qui se changea en un silence attentif, coupé de battements de mains, quand Neyrial et Mlle Morange parurent à l'extrémité de la salle. Elle avait quitté sa mante, et elle s'avançait, souriante, un peu intimidée dans sa toilette de théâtre, en jupe bouffante et courte, d'une étoffe lamée d'argent, brodée de petites roses et de feuillage de tons clairs, les bras et les épaules nus. Des bas de soie couleur de chair moulaient ses fines jambes. Les garçons de l'hôtel disposaient des touffes de fleurs, de place en place, et, l'orchestre ayant préludé, elle commença d'aller chercher ces bouquets, l'un après l'autre, en dansant. Elle se baissait pour prendre la gerbe, poursuivie par son camarade qui, dansant aussi, l'atteignait sans cesse et, sans cesse, elle s'échappait, lui laissant aux mains, tantôt une branche de mimosa, tantôt une brassée de roses, de grands iris blancs ou sombres, des œillets rouges ou safranés, des narcisses. C'était toute la fête du printemps méridional qu'elle lui offrait chaque fois, en se dérobant elle-même, et chaque fois, il revenait, toujours en dansant, déposer ces gerbes au pied d'une statue de l'Amour, en terre cuite, dressée au bas de l'orchestre, jusqu'au moment où, toutes les fleurs ayant été ainsi ramassées, la jeune femme se laissa elle-même enlever, fleur vivante, pour être portée jusqu'à cet autel symbolique, entre les bras du ravisseur, à qui elle disait tout bas, la tête abandonnée sur son épaule :

– « C'est elle qui est jalouse, maintenant. Regardez-la, et repentez-vous de jouer avec cette enfant… »

Tandis que les applaudissements éclataient et que les danseurs, en se donnant la main à présent, saluaient la foule, Neyrial pouvait voir, au tout premier rang, Renée, assise avec sa mère, et ses petites mains, qu'elle frappait l'une contre l'autre, découvraient, en s'écartant, un visage péniblement contracté, où se révélait la souffrance ingénue d'une sensibilité trop tendre. De voir Neyrial soulever contre lui, dans un geste d'amour mimé, sa jolie et souple camarade, avait suffi pour que son cœur, qui s'ignorait lui-même, subît un spasme inconscient, et, dans les yeux de Neyrial, brillait cet éclair de fatuité, inconsciente aussi, de l'homme qui se sent aimé, quand tout à coup ce regard s'éteignit. Son visage avait pâli. Ses doigts se crispaient involontairement sur ceux de la danseuse. Celle-ci se dégagea, et, attribuant cette étreinte à une irritation causée par sa remarque :

– « Ce n'est pas une raison pour me faire mal, » protesta-t-elle, « parce que je vous dis la vérité… »

– « Pardon, » balbutia-t-il, et, soudain, elle le vit, avec stupeur, se détacher d'elle, longer l'estrade où l'orchestre préludait vivement à une nouvelle danse. Déjà il était hors de la salle, sans que personne eût pu s'apercevoir de ce hâtif départ, sinon celle qui courait instinctivement après lui pour le supplier :

– « Neyrial » implorait-elle, « mais je regrette… »

– « Laissez-moi » répondait-il, « vous m'excédez… »

Et, la repoussant d'un geste, il entra dans la cage de l'ascenseur, qui commença de monter, tandis qu'elle restait devant la porte, brusquement refermée, à se dire :

« je suis trop sotte, mais qu'est-ce qu'il a eu ? Cela ne lui ressemble pas, de se fâcher pour une taquinerie… Il n'est pas souffrant. Il était en forme tout à l'heure, et si allant… Comme il m'a parlé ! Ah ! les hommes ! Quand on court après eux, ils deviennent aussi rosses que les femmes… Il n'est toujours pas là, en ce moment, à faire danser cette petite Favy. »

La pauvre fille aurait été très mortifiée, et plus étonnée encore, si elle avait su combien sa sotte phrase de coquette dépitée était étrangère à cette fuite inopinée du danseur hors de la salle où l'on venait, une fois de plus, de l'applaudir frénétiquement. À la minute où il regardait Renée, lui-même s'était vu regarder par un vieillard, un nouvel arrivant dans l'hôtel, et qui venait de s'asseoir à la même table que ces dames Favy. Cette rencontre de leurs yeux avait suffi pour que Neyrial ne pût, physiquement, rester cinq minutes de plus dans la même pièce que ce personnage. Cette seule présence lui avait infligé une de ces foudroyantes secousses de terreur, où l'homme ne se connaît plus, ne raisonne plus. Un réflexe animal de défense se déclenche en lui, aussi aveugle et aussi irrésistible que le galop d'un cheval emballé. Tel était ce trouble du jeune homme, qu'en pressant le bouton de l'ascenseur, il n'avait pas pris garde au chiffre de l'étage, si bien qu'il se trouva s'arrêter au premier, tandis qu'il occupait une chambre au troisième.

La distribution des pièces étant pareille dans tout l'hôtel, il alla jusqu'au bout du couloir, ouvrit une porte qu'il crut la sienne, et, s'apercevant de son erreur, il ressortit aussitôt, juste à temps pour voir, au bruit du battant refermé, s'éloigner rapidement quelqu'un. Il crut reconnaître Gilbert Favy, dont ce n'était pas l'étage non plus. Que faisait-il là ? Après leur conversation du matin, et dans toute autre circonstance, cette allure clandestine du frère de Renée aurait inquiété Neyrial. Il l'aurait interrogé. Au lieu de cela, il s'échappa lui-même du côté opposé, par l'escalier de service dont il montait les marches quatre à quatre, pour se réfugier dans sa chambre, la vraie, cette fois, et il se jetait sur son lit, en se prenant la tête dans les mains et disant à voix haute : « Jaffeux ! C'était Jaffeux !… Et il connaît ces dames Favy. Elles l'avaient fait asseoir à leur table… Elles vont savoir… Il ne leur a pas encore parlé. Sinon, elles n'auraient pas applaudi… Pourtant, si j'allais le trouver tout à l'heure, si je lui disais : « C'est vrai. C'est moi, Pierre-Stéphane Beurtin. Depuis ce qui s'est passé, je n'ai plus volé, je n'ai plus joué. J'ai gagné ma vie, comme j'ai pu, mais proprement. Renseignez-vous. Faites une enquête… » À quoi bon ? Il a été si dur pour moi ! Il doit tant me mépriser avec ses idées, et davantage en me retrouvant ici, dans un métier qu'il ne peut pas comprendre !… C'est trop naturel, étant l'homme qu'il est, si droit, si juste, si traditionnel aussi… Mieux vaut partir, payer mon dédit et ne pas le revoir. Dire qu'en ce moment il est en train de tout raconter !… Qu'est-ce que va penser de moi cette petite Renée, si naïve, si tendre ? Je savais bien que c'était fou, que je ne devais pas l'aimer. Et je ne me le permettais pas. Mais elle me plaisait tant ! Cette gentille amitié m'était si douce !… La quitter pour toujours, c'est déjà bien triste, et qu'elle pense de moi ce qu'elle va en penser, ce qu'elle en pense ! C'était convenu, qu'après le « numéro » nous dansions ensemble. Elle ne m'a plus vu. Elle s'est enquise. J'entends Jaffeux leur dire, à elle et à sa mère « Voulez-vous savoir pourquoi ce joli monsieur a disparu ?… » Et le reste… Ah ! c'est affreux !…

Se prononçaient-elles, cependant, ces paroles, dont la seule possibilité affolait le jeune homme ? Il le croyait, hanté par cette obsession du déshonneur, constante chez tous les coupables, qui ont, dans une heure d'égarement, commis un acte irréparable, quand cette faute ne ressemble pas à l'arrière-fond de leur nature. Il ne se doutait pas que ce témoin de son passé, et qui, tout de suite, avait reconnu, dans le Neyrial acclamé du Palace, le malheureux Pierre-Stéphane Beurtin d'autrefois, était, à cette minute, aussi tourmenté que lui-même. Le nom de Martial Jaffeux évoque pour tous ceux qui suivent d'un peu près les choses du Palais, un des plus nobles types de cette carrière d'avocat, si salutaire ou si dangereuse à la moralité de ceux qui la parcourent avec succès, selon l'usage qu'ils font de leur éloquence. Cette profession repose tout entière sur ce principe qui en est comme la mystique : chaque accusé a le droit d'être défendu. Martial Jaffeux aura été un des maîtres du barreau qui complètent cet axiome par une précision bien nécessaire : « Oui, chaque accusé a le droit d'être défendu, mais dans la vérité. » C'est dire que, durant ses trente-cinq ans d'exercice, avant que sa santé ne le contraignît à se retirer ou presque, il n'a jamais plaidé une cause qu'il ne considérât comme juste. De telle rigueurs de conscience font de ceux qui les pratiquent, avec l'âge avançant, des scrupuleux. Aussi bien était-ce le commencement d'une crise d'anxiété que venait de donner au célèbre avocat cette inattendue rencontre avec un garçon, perdu de vue depuis plusieurs années, et dans la destinée duquel les circonstances de son propre caractère lui avaient fait jouer le rôle d'un implacable justicier. Jaffeux s'était arrêté à Hyères, et au *Mèdes-Palace*, sur la foi d'un guide, pour se reposer quelques jours, en route vers Nice et l'Italie. Arrivé cet après-midi et, regardant sur le tableau *ad hoc* la liste des voyageurs, il y avait lu le nom de Mme Favy qu'il connaissait, ayant plaidé jadis, avec succès, pour le colonel, un important procès d'héritage. Presque aussitôt, il l'avait aperçue dans le hall, avec sa fille. Elle l'avait convié à prendre le thé avec elle à cinq heures.

– « Prévenez maître Jaffeux que c'est à un thé-dansant que vous l'invitez… » avait dit Renée Favy.

– « Pourvu que je ne sois pas obligé de danser moi-même… » avait-il répondu en riant. « Je suis, d'ailleurs, du temps de la valse et de la polka, et ces danses modernes… »

– « Vous ne les avez pas encore vues dansées par M. Neyrial. C'est le professionnel du Palace. Avec lui, elles prennent leur vrai caractère de souplesse et de grâce. Papa lui-même se réconcilierait avec le *Tango* et le *Fox-trott*, si on les dansait ainsi devant lui. Et vous savez s'il est sévère… »

– « Mais je croyais qu'il était venu ici, » fit Jaffeux.

– « Oh ! pour vingt-quatre heures… » dit la jeune fille, « et il nous a emmenées, maman et moi, tout l'après-midi au Mont-des-Oiseaux, pour y giberner avec des camarades, … »

Habitué par son métier à observer et à interpréter les moindres détails d'une physionomie, quand il questionnait un client, M. Jaffeux avait remarqué la lueur d'enthousiasme dont s'éclairaient les prunelles bleues de la jeune fille, tandis qu'elle célébrait les mérites du danseur. Cette excitation contrastait trop avec sa réserve accoutumée. Il est vrai qu'il ne l'avait jamais vue qu'en présence de ce père, dont, lui-même, blâmait secrètement la trop opprimante sévérité. Comment s'étonner que l'existence plus libre, à l'hôtel et dans le Midi, détendît un peu les deux femmes ? Il n'avait donc pas attaché de signification particulière à cet indice, non plus qu'à l'insistance avec laquelle, et comme il déclinait l'invitation sous le prétexte de lettres à écrire, Renée lui avait dit :

– « Ne venez qu'à six heures. C'est le moment du « numéro »… » Et, après lui avoir traduit ce terme argotique : « La levée du courrier se fait à six heures moins le quart. Le vôtre sera fini. Il faut que vous voyiez danser M. Neyrial. Venez. Venez. Je le veux… »

– « Eh bien ! Je viendrai… »

Il était venu, pour demeurer stupéfait, en reconnaissant Pierre-Stéphane Beurtin dans ce Neyrial dont Renée Favy lui avait parlé ainsi et dont elle suivait du regard les mouvements avec une émotion, plus révélatrice encore. Il voyait ce jeune et frais visage se pencher en avant, ces lèvres frémissantes s'ouvrir, un sourire d'admiration s'y dessiner, puis un involontaire frémissement les crisper, quand le danseur avait enlevé la danseuse d'un geste qui simulait une étreinte de passion heureuse.

« Mais elle est éprise de lui, la pauvre enfant » pensait Jaffeux, « et la mère qui n'y prend pas garde !… »

Mme Favy, en effet, accompagnait le spectacle de commentaires, élogieux aussi, mais bien froids en comparaison de ceux de sa fille.

« Se jouerait-il un drame ici ? » se demandait déjà l'avocat, mis aussitôt en éveil par sa longue expérience des dangereux dessous de la vie, et, interrogeant la mère :

– « Vous le connaissez personnellement, ce M. Neyrial ?… »

– « Mais oui, c'est un bon camarade de Gilbert, et Renée prend des leçons avec lui. Il est si comme il faut, si bien élevé C'est un garçon de bonne famille sans doute. Sa boutonnière rappelle qu'il a fait bravement son devoir pendant la guerre. Vous comprenez que je ne l'ai pas questionné. J'ai cru comprendre qu'il est orphelin et qu'il a eu des revers de fortune. Il a pris une drôle de profession, mais aujourd'hui !… »

Une phrase vint à la bouche de Jaffeux, qu'il ne prononça pas. La sagesse, il le savait trop, veut que l'on agisse avec lenteur dans toutes les situations compliquées. Apprendre à la mère aussitôt la véritable identité de Neyrial, c'était risquer une catastrophe, peut-être, si, par malheur, cet aventurier, – évidemment il en était devenu un, – avait séduit la jeune fille… Mais non… Il étudiait Renée avec l'attention pénétrante, dont ses yeux de compulseur de dossiers révélaient l'habitude. Quelle acuité dans leurs prunelles, détachées en noir sur son maigre visage rasé, dont les rides profondes semblaient creusées par la réflexion ! Et il se répétait mentalement : « Mais non. Cette physionomie si claire, si virginale, ne peut pas mentir. La naïveté même de cet enthousiasme en prouve l'innocence. L'imagination seule de cette pauvre enfant est prise. Celui qui la trouble connaît-il seulement l'intérêt qu'il inspire ? Ou bien, serait-il aujourd'hui un profond scélérat, et, voyant cette exaltation d'une fille riche, aurait-il conçu le projet de l'épouser, en s'imposant aux parents par le procédé classique ? »

Là encore, l'expérience du basochien entrait en jeu. Il se rappelait avoir été récemment consulté par un de ses clients à l'occasion d'un enlèvement sensationnel dans le grand monde, et avoir conseillé le mariage… Était-ce par rouerie alors que le danseur mimait ces figures du printemps, en affectant de ne s'occuper que de sa partenaire ? Car le ballet s'achevait, sans qu'il eût, une seule fois, regardé dans la direction de celle qui le regardait, elle, si passionnément. Jouait-il cette apparente indifférence pour la rendre jalouse ?… Ce regard était enfin venu, mais pour rencontrer un autre regard, celui de Jaffeux. Sur quoi le bouleversement du jeune homme s'était traduit par l'altération de ses traits et cette soudaine disparition dont Renée demeurait étonnée. Elle aussi l'avait vu se glisser le long de l'estrade, vers la porte du fond.

– « Il va certainement reparaître, » avait-elle dit. « Il m'a promis de me faire danser la *Huppa-huppa.* »

Puis, quelques minutes plus tard, revenant elle-même de fox-trotter avec un autre jeune homme qu'elle avait interrogé sur l'absence de Neyrial :

– « Il s'est senti un peu souffrant, m'a-t-on dit. Ce n'est pas étonnant. Il se surmène. Il fait danser toutes les dames qui, sans lui, ne danseraient pas, et, pour chacune, il prend autant de peine. Il est si bon !… »

« Le gaillard n'est pas plus souffrant que moi, » avait pensé

Jaffeux. « Il m'a reconnu, tout simplement. Ah j'empêcherai bien qu'il ne perde cette délicieuse fille, s'il en a eu l'affreuse idée. Mais l'a-t-il eue ?... »

Ce point d'interrogation impliquait dans l'esprit de ce juste une incertitude sur la nature intime d'un garçon qu'il avait vu commettre une action très coupable. Il l'avait, à cette époque, jugé très sévèrement. Mais cet acte révélait-il une démoralisation foncière ? Ou bien n'était-ce qu'une défaillance d'une heure et qui permettait d'espérer un redressement ? N'eût-il pas mieux valu, dans ce cas, sinon pardonner au coupable, du moins le plaindre, lui parler sans dureté, ne pas risquer de le désespérer par une implacabilité peut-être inique ? Cette question, l'avocat se l'était souvent posée, avec une inquiétude parfois voisine du remords. Il se la posait, ou mieux elle se posait devant lui plus fortement encore, remonté dans sa chambre, où il avait commandé son dîner, sous le prétexte de la fatigue du voyage, en réalité pour réfléchir, hors de la présence des deux femmes, sur le parti à prendre.

III

Le temps reculait, et les événements auxquels avait été mêlé le pseudo Neyrial redevenaient présents au vieillard jusqu'à l'hallucination. Il se retrouvait à cinq ans en arrière, celui qui, rentrant vers les neuf heures après son dîner dans son cabinet de travail, se frottait les mains en disant : « Quelle bonne soirée ! Je vais la passer avec mes deux meilleurs amis, Montaigne et. La Bruyère. »

Martial Jaffeux n'était pas seulement le fin lettré que dénoncent de pareilles préférences. Il était aussi un bibliophile passionné, non pas à la manière des spéculateurs d'aujourd'hui, qui rêvent de la grande vente et constituent des placements à cinquante et cent pour cent en éditions rarissimes avec autographes et gravures. Il aimait vraiment ses livres, lui. Il les lisait, moins souvent, certes, qu'il n'aurait voulu, empêché par la surcharge de ses occupations, mais quelle joie intime, chaque fois que, fatigué de ses dossiers, il prenait, avant d'aller dormir, un volume d'un de ses auteurs préférés, des moralistes surtout et des psychologues ! Il les avait tous en plusieurs éditions. Les plus précieux de ses volumes étaient enfermés dans un meuble à serrure secrète. Quand il en maniait un, c'était avec religion. Il regardait la reliure ancienne et ses fers. Il touchait prudemment le papier jauni. Il songeait aux mains, immobiles aujourd'hui dans la mort, qui avaient tourné ces feuillets, aux yeux maintenant éteints qui s'étaient attardés sur ces caractères, aux esprits, – en allés où ? – qui s'étaient nourris de ces pages. Un sentiment de vénération s'emparait de lui, qui faisait de ces tomes inertes des créatures vivantes. Aussi quel avait été son saisissement, le meuble ouvert, de ne pas trouver l'exemplaire des *Essais* qu'il y cherchait, celui de 1588, un bel in-quarto dans sa reliure originale en maroquin rouge, disputé jadis à un collectionneur princier. En considérant d'un coup d'œil inquisiteur le dos des deux cents volumes rangés sur les tablettes, il lui sembla discerner d'autres vides, mal dissimulés. Un cambrioleur était passé là, qui, dans la hâte de son larcin, avait remis, la tête en bas, quelques livres qu'il hésitait à prendre. L'avocat eut tôt fait, sans même en référer à son catalogue, de constater qu'il lui manquait, outre le Montaigne, quatre autres volumes : un exemplaire de la première édition du *Médecin malgré lui* de 1667, – un exemplaire de la plus rare des éditions originales de Racine, *Alexandre le Grand*, publié en 1666 par

Théodore Girard, – les *Oeuvres françaises* de Joachim du Bellay, imprimées, en 1597, à Rouen. Il l'avait acheté, ce volume-là, à cause d'une reliure à la Marguerite, exécutée pour Marguerite de Valois. Il manquait enfin la première édition, imprimée à Paris, chez Guillaume Desprez, en 1670. des *Pensées de Monsieur Pascal sur la religion et sur quelques autres sujets, qui ont été trouvées après sa mort parmi ses papiers.*

« C'est le vol de quelqu'un qui connaît la valeur des livres, » s'était dit Jaffeux, essayant de rassembler quelques données précises, comme il avait fait si souvent au cours des enquêtes exigées par d'obscurs procès. « Un des volumes, » – il pensait au Montaigne, – « n'a pas pu être emporté dans une poche, comme les autres. Sa dimension a exigé une mallette, un sac, ou simplement une serviette du genre de la mienne. » – Elle était posée sur son bureau, il la mesura des yeux. – « Il a fallu aussi que le voleur connût le secret de la serrure. Je ne l'ai jamais fait jouer que devant mes domestiques et mes secrétaires. »

C'était restreindre déjà le cercle de ses recherches. Du ménage qu'il avait à son service depuis des années, – un valet de chambre et une cuisinière, – il ne pouvait pas douter. Restaient ses trois secrétaires. L'un d'eux, le plus jeune et le dernier en date, était ce Pierre-Stéphane Beurtin, qu'il venait, par le plus inopiné des hasards, de retrouver, après des années, exerçant, dans ce hall d'un Palace cosmopolite, une profession si déconcertante pour un bourgeois de vieille frappe française comme était Jaffeux. Le grand-père du danseur mondain, – quelle ironie ! – Marius Beurtin, avait été lui-même avocat et bâtonnier de l'ordre. Jaffeux, à ses débuts, occupait exactement auprès de lui l'emploi qu'il avait offert à son petit-fils, par reconnaissance pour son patron d'autrefois.

« Léonard ?… Vincent ?… s'était-il demandé. – Ainsi s'appelaient les deux plus anciens de ces secrétaires. – « Non. Ce gros lourdaud de Léonard va se marier. La dot de sa femme est sérieuse. Il n'a pas besoin des quatre ou cinq mille francs que représentent ces livres… Ce brave Vincent est un dévot qui va à la messe tous les jours. Ce n'est pas lui non plus. Et puis tous deux m'ont vu faire ma bibliothèque. Ils savent qu'un exemplaire rare est comme un tableau de maître. Cela ne se vend pas si facilement. Il faut justifier l'origine, au lieu que Pierre-Stéphane... Et avec l'hérédité paternelle !... »

Toute l'histoire de la famille du jeune homme, qu'il connaissait, comme on dit, du pied et du plant, ne corroborait que trop le soupçon, déjà né dans son esprit. Le bâtonnier Beurtin était le fils d'un commerçant du Midi, très aventureux, très intelligent. Originaire d'Aix, et suggestionné par les traditions de l'antique cité parlementaire, qui lui faisait considérer le barreau comme une sorte d'ennoblissement, le Provençal ambitieux avait voulu que son fils fût avocat et dans la capitale. Celui-ci, très bel homme et naturellement fastueux, riche déjà par son père, et gagnant par lui-même beaucoup d'argent, avait mené à Paris cette double existence, brillamment mondaine et âprement professionnelle, qui use si vite les plus vigoureux organismes. Il était mort jeune, laissant un fils unique, qui avait coûté la vie à sa mère en naissant, et chez qui ces goûts ostentatoires du bâtonnier avaient reparu, encore exagérés. Auguste Beurtin, c'était son nom, avait épousé, par vanité plus que par amour, une femme très belle, une demoiselle de Pétiot, rencontrée dans une chasse à courre, et que la famille, une des plus vieilles du Limousin, lui avait d'abord refusée. Très fier d'elle, il avait voulu qu'elle fût une des reines de ce Paris mouvant et factice, tout en sorties, en fêtes, en visites, en spectacles, dont les réalités les plus solides sont des citations dans les comptes rendus élégants des journaux. Naturellement, ce bourgeois-gentilhomme n'avait pas pris de carrière. Follement dépensier, il avait voulu augmenter ses revenus en jouant à la Bourse, d'après les « tuyaux » de financiers rencontrés dans le monde, et, non moins naturellement, ses capitaux avaient fondu. Le pseudo Neyrial n'avait pas menti en racontant à Gilbert Favy que son père s'était ruiné au jeu, mais à un jeu plus redoutable qu'une partie de baccara dans le casino d'une ville d'hiver. Quand Auguste Beurtin était mort dans un accident d'automobile, en juillet 1914, – sur la route de Deauville, comme il convenait à un personnage de cette tenue, – sa veuve s'était trouvée réduite, toutes dettes payées, à une position très précaire. Ajoutez à cela, qu'initiée depuis quelques années aux continuels aléas de la vie du spéculateur, lequel avait dû demander sa signature pour des ventes d'immeubles et de titres, les poignants soucis de l'avenir, et tant d'émotions, avaient déterminé chez elle une maladie du cœur, aussitôt aggravée par le saisissement de cette mort tragique.

Toujours fidèle à la mémoire du défunt bâtonnier, Jaffeux n'avait pas perdu contact avec ce jeune ménage, de goûts si peu en rapport avec les siens. Il savait que Mme Auguste Beurtin demeurait irréprochable dans le dangereux milieu parisien où l'imprudence de son mari la faisait vivre. Le vieux garçon qu'il restait, un peu par les exigences de son travail, un peu par manie, beaucoup par timidité, avait conçu pour cette honnête femme un de ces respects attendris, qui ne se permettent pas de devenir de l'amour, mais qui sont pourtant plus émus que la simple amitié. Il s'était offert pour s'occuper de la succession qui, entre parenthèses, avait achevé de brouiller la veuve avec les siens, sur quelques difficultés d'intérêt, dans lesquelles, conseillée par l'avocat, elle avait refusé de transiger, à cause de son fils. Elle avait tenu d'autant plus passionnément à défendre pour lui les derniers débris de la fortune écroulée, que ce règlement avait lieu pendant la guerre et que ce fils était au front. Jaffeux avait vu, avec une admiration grandissante, l'énergique mère, de plus en plus souffrante, cacher héroïquement ses crises de santé au jeune homme, pour ne pas diminuer son courage. Pierre-Stéphane, indemne par miracle pendant des mois, avait été blessé sous Verdun.

D'apprendre brutalement cette nouvelle, avait donné à la malade, déjà si anxieuse, un accès d'angine de poitrine qui avait failli l'emporter. Elle avait supplié Jaffeux, mis au courant par le médecin, de n'en rien dire à son fils. L'avocat avait obéi, non sans quelque rancune contre ce fils, qui était rentré en 1919, guéri de sa blessure, et ne paraissant pas se douter des meurtrières angoisses traversées par sa mère. Il arrivait, tout fringant, tout fier de sa citation à l'ordre du régiment, virilisé mais endurci par ces quatre années de danger. Par les traits, l'allure, la parole vive, le goût du plaisir et de l'élégance, ses vingt-trois ans rappelaient son père d'une manière terriblement inquiétante pour ceux qui avaient vu sombrer le spéculateur. La médiocrité de ses ressources, diminuées encore par la baisse des quelques valeurs conservées, exigeait qu'il prît un métier. Il avait accepté l'idée d'une carrière d'avocat, sur la prière de sa mère, suggestionnée, on devine par qui. Ce conseil de Jaffeux avait eu un secret motif : surveiller la pétulante jeunesse de Pierre-Stéphane, en le prenant pour secrétaire, tandis qu'il préparerait ses examens de droit. – « Le souvenir laissé au Palais par le bâtonnier facilitera les voies à son petit-fils, » avait-il dit à Mme Beurtin. « Et moi, » avait-il pensé, « j'aurai l'œil sur lui. Il en aura besoin. Il est si léger ! »

On comprend qu'en présence du vol dont il se voyait la victime, le protecteur, déjà très préoccupé de ce caractère impulsif s'était demandé aussitôt si la vie de Paris n'avait pas déjà précipité le fils du prodigue à des dépenses hors de proportion avec ses moyens. Avait-il eu de pressants besoins d'argent et cédé à la tentation de s'en procurer ainsi ? Une enquête, instituée immédiatement, n'avait rien appris de positif à Jaffeux sur les relations féminines du jeune homme. En revanche, il avait su, et précisément par un des deux collègues de Pierre-Stéphane prudemment interrogés, que celui-ci fréquentait assidûment un cercle interlope et qu'il y jouait à l'heure des plus fortes parties, tard dans la nuit, quand sa mère, obligée par sa maladie de se coucher tôt, le croyait paisiblement endormi.

– « Dans ce cercle, » avait demandé l'avocat, « savez-vous si le caissier des jeux peut avancer de l'argent aux pontes, comme dans d'autres clubs ? »

Il en avait nommé un, aux mœurs duquel un procès l'avait initié.

– « Oui, » avait répondu son interlocuteur, « mais c'est un crédit limité, deux mille francs, je crois… »

– « Et si on ne les rend pas, on cesse de faire partie du cercle ?… »

– « Naturellement. »

La vérité de la crise traversée par Pierre-Stéphane était apparue au questionneur. Le fils avait, dans des conditions toutes petites, agi comme le père et joué, pour suffire à des goûts de luxe supérieurs à ses moyens. Comme le père, il avait perdu, puis emprunté de l'argent, et perdu encore. Une tentation avait surgi, trop forte. Sans doute, il s'était dit que son patron tarderait à s'apercevoir du vol. Des livres se retrouvent. S'il gagnait, – car il avait dû ne vouloir cet argent que pour avoir le droit de rejouer, – il rachèterait ceux-là. Cette construction, d'une irréfutable logique, était-elle la vérité ? Comment le savoir ? Le métier de Jaffeux le lui avait appris les aveux des crimes s'obtiennent le plus souvent par surprise. Il avait donc employé ce que certains de ses confrères et lui appelaient, dans leur langage technique, le procédé chirurgical : l'attaque par l'accusation directe et précise, qui a des chances de produire, sur un coupable non prévenu, un de ces chocs psychiques où le désarroi de tout l'être paralyse la réaction de défense de la volonté réfléchie. Le surlendemain de la découverte du vol, dès l'arrivée du jeune homme à l'Étude, il le faisait venir, comme il lui arrivait souvent pour lui demander des nouvelles un peu détaillées de sa mère, dans la pièce où se trouvait la bibliothèque à serrure de sûreté. Et tout de suite, la lui montrant :

– « Pierre-Stéphane, » lui avait-il dit, « il manque ici un Montaigne, *le Médecin malgré lui*, de Molière, *l'Alexandre*, de Racine, un Joachim du Bellay et un Pascal. En tout cinq volumes. Tu les as pris pour les vendre. Tu as joué au baccara, au cercle… » – Il lui nomma le tripot. – « Tu as perdu. Pour continuer, tu as emprunté au caissier une somme que tu n'as pas pu restituer. Tu n'as rien voulu demander à ta mère, que tu vois se débattre trop péniblement pour votre vie quotidienne. Tu as tâté le terrain auprès de quelques camarades, sans réussir. Il te fallait le rendre, cet argent, pour n'être pas renvoyé du Club, et continuer de jouer. Ces livres étaient là. Tu savais leur valeur. Tu t'es dit qu'étant donné le nombre de mes volumes, je ne remarquerais pas aussitôt leur disparition. J'avais fait fonctionner devant toi le secret de la serrure. Tu m'avais bien observé. Tu as su ouvrir le meuble, et tu les as pris, ces livres. Tu les as volés, volés, sans penser que tu déshonorais ce ruban, » – et il mettait le doigt sur la boutonnière du jeune homme – « Ah ! comment as-tu pu ? »

Tandis qu'il parlait, il voyait un frisson secouer tout le corps de Pierre-Stéphane, sa taille se raidir, son visage se serrer. L'affreuse humiliation subie en ce moment allait-elle se résoudre dans des larmes et une imploration de pardon, – s'il était coupable ? Qu'il le fût, comment en douter, devant son trouble qui, soudain, quand le doigt de l'accusateur toucha sa boutonnière, le fit se tendre dans une expression de défi ? Le jeune homme n'avait jamais aimé Jaffeux. Les familiers très intimes d'un père et d'une mère inspirent souvent au fils et à la fille de la maison, une antipathie qu'explique assez le droit qu'ils s'arrogent d'observations sans ménagements. L'amour-propre de l'enfant qui en est l'objet s'en irrite. Toute ouverture simple du cœur lui devient impossible vis-à-vis de cet ami de ses parents, qui ne sera jamais le sien. Dans mille petites circonstances et à son insu, Jaffeux avait froissé Pierre-Stéphane. Leurs instincts étaient trop contraires pour qu'ils comprissent, celui-ci la réflexion, celui-là les fougues de l'autre. Dans une circonstance comme celle qui les affrontait en ce moment, la fierté du secrétaire infidèle souffrait trop. Il avait volé les volumes. L'avocat ne s'y était pas trompé ; non plus que sur les détails de ce vol. Nier ? C'était s'abaisser encore. Demander pardon ? L'ancien « poilu » se serait fait tuer plutôt. Il lui restait ce refuge de la confession arrogante, où l'orgueil du coupable, qui ne daigne pas se justifier, trouve sa revanche :

– « C'est vrai, monsieur, » répondit-il, « j'ai pris ces volumes et je les ai vendus pour les raisons que vous dites. Votre police vous a exactement renseigné. Je ne plaiderai pas les circonstances atténuantes : l'étroitesse de ma vie actuelle après l'opulence où j'ai grandi, la griserie de Paris, celle du jeu. Mais si je les ai pris, ces volumes, c'était avec l'idée de les racheter et de les remettre à leur place, dès que j'aurais regagné la somme nécessaire. Je savais que je la regagnerais. Je l'ai regagnée, cette nuit-même. Je vais de ce pas chez le marchand à qui je les ai vendus. Je l'ai choisi exprès parmi ceux qui ne sont recherchés que des connaisseurs. Il n'a ces volumes que depuis trois jours. Il est très probable qu'ils sont encore chez lui. Dans ce cas, vous les aurez ce soir même. Sinon, je saurai les retrouver. Ç'aura été un prêt que vous m'aurez fait. Si vous jugez que ma façon d'agir a été par trop incorrecte, portez plainte. Ce que je viens de vous dire, je le répéterai aux magistrats, et dans les mêmes termes, parce que c'est la stricte vérité. »

Et pas un mot de regret dans cette déclaration prononcée âprement, les yeux fixés sur ceux de son interlocuteur, les bras croisés, le masque impassible. Derrière cette attitude, une atroce douleur se dérobait, que l'avocat ne reconnut point. C'est la limite d'intelligence des hommes qui n'ont pas subi l'entraînement des passions, qu'ils ne distinguent pas les éléments de réparation morale conservés dans certaines déchéances. Cette force de personnalité, déployée par Pierre-Stéphane en face de son juge, n'était pas du cynisme. En ne se disculpant point, en acceptant par avance les dures conséquences de son acte, il se réhabilitait un peu vis-à-vis de lui-même. Jaffeux n'y vit que l'impudente effronterie d'un garçon irrémédiablement gâté. Un de ces humbles détails qui deviennent des signes décisifs à de certains moments, achevait de l'écœurer la mise trop raffinée du jeune homme faisait de lui un type tout près d'être exagéré, du dandy d'après la guerre, qui semble n'avoir gardé de la tragique épreuve qu'une frivolité plus désinvolte. Un veston coupé à la dernière mode amincissait sa taille cambrée. Une cravate en tricot de soie, piquée d'une épingle de perle, pendait sur le plastron d'une chemise souple de nuance havane. Des boutons d'or ciselé, à chaînette, retenaient les manchettes, souples aussi, mais blanches comme la toile du col, et retroussées. De fines chaussettes de couleur claire montraient leur soie, savamment tendue entre le cuir brun du soulier et le bas du pantalon, raccourci par un pli. Jusqu'alors Jaffeux avait considéré ces coquetteries vestimentaires comme une puérilité un peu nigaude. Il y vit tout à coup l'indice d'une dégradation. Peut-être aussi l'instinctive antipathie de Pierre-Stéphane avait-elle éveillé en lui une antipathie correspondante, encore aggravée du fait que le jeune homme ressemblait tant à son père, et que lui-même, toujours à son insu, gardait au fond de son cœur une obscure jalousie à l'égard du mari indigne d'une femme exquise. Un accès de colère l'envahit, où se soulageait la longue rancœur de ces impressions inconscientes, et, d'une voix que le jeune homme ne lui connaissait pas :

– « Incorrecte !… » – Il redit le mot par trois fois, en martelant les syllabes – « Incorrecte !… Incorrecte !… Quand il s'agit d'un vol, d'un ignoble vol, doublé d'un abus de confiance !… » – Et comme l'autre protestait : – « Tais–toi ! Je t'aurais vu, quand je t'ai parlé tout à l'heure, éclater en sanglots, me dire : « Pardon, je me repens… » je t'aurais pris dans mes bras en te disant, moi : « Mon pauvre petit !… » Et je t'aurais. pardonné… Mais ça ! mais ça !… Incorrecte ! Incorrecte !… Tiens : j'aurais mieux aimé te voir mentir, nier avec acharnement. Ç'aurait été une preuve que tu sentais du moins la hideur de ton acte, au lieu que… » – Puis, décidément hors de lui : – « Ah ! misérable !… » – Il leva le poing comme pour frapper, et, se dominant : – « Ne les rachète pas, ces livres, Ils me feraient horreur à toucher. Je te les donne. » – Il avait, en attendant un geste, regardé Pierre-Stéphane qui restait immobile, les bras de nouveau croisés. –

« Tu comprends que désormais je ne peux pas te garder ici, n'est-ce pas ? »

– « Et moi, » répondit le jeune homme, « je n'accepterais pas d'y rester. »

– « Je ne suis pas en état, » continua Jaffeux, « de concevoir en ce moment un moyen de tout régler pour que cette incorrection, comme tu dis, ne pèse pas sur ton avenir. Est-ce ta première coquinerie ? Sera-ce la dernière ? »

L'accès de fureur le reprenait. Il marcha quelques minutes d'un bout à l'autre de la chambre, et, se retournant pour montrer la porte de son poing toujours fermé :

– « Va-t'en ! » cria-t-il, « mais va-t'en donc ! »

Pierre-Stéphane obéit, sans plus répondre. Resté seul, l'avocat continua de marcher dans son bureau, d'un pas qui se calmait, maintenant qu'il n'avait plus devant les yeux l'insolente et rogue figure du coupable sans repentir. Une nouvelle angoisse l'étreignait à présent. Renvoyer son secrétaire, il ne le pouvait pas sans donner à Mme Beurtin une explication. Laquelle ? Lui dire la vérité, porter ce coup à cette mère d'une sensibilité si vive, et dans son état de santé, c'était risquer de la tuer. Il le savait, ayant, par affection pour elle et à la suite de plusieurs conversations avec le docteur qui la soignait, étudié, dans des livres spéciaux, les symptômes de cette lésion du cœur, dont elle était atteinte, l'insuffisance mitrale, et ses étapes. Voici que, l'image de la malade commençant à l'attendrir, sa violente indignation de tout à l'heure tombait peu à peu.

« Si tout de même c'était la première faute grave de ce malheureux ? » se disait-il. « N'ai-je pas été trop dur ?… Il s'est conduit admirablement pendant la guerre. C'est quand j'ai touché ce point-là, quand j'ai parlé de son ruban qu'il s'est rebellé. Je l'ai senti. Et si c'est sa première faute, ne vient-il pas d'en être assez puni ?… Mais cette bravade, cette complète absence de regret ? Mais cette effronterie à qualifier d'incorrection un délit dont il connaît toute la gravité, lui qui fait son droit ?… S'il était un endurci pourtant, il aurait discuté, ergoté. Car enfin, je n'avais qu'un soupçon, pas une indiscutable preuve... C'est vrai qu'il m'a parlé de ma police. Il n'a pas pu deviner que j'avais reconstruit son affaire à moi seul, rien qu'en raisonnant... »

Un petit mouvement d'orgueil, tout professionnel au fond, le traversait, à l'idée de cette justesse dans son hypothèse. C'était l'avocat, heureux et fier d'avoir débrouillé une énigme, et, cette intime satisfaction le disposant soudain à l'indulgence :

« À cause de sa mère, » se disait-il maintenant, « et de son grand-père, n'y eût-il qu'une chance sur cent pour que cette défaillance de sa moralité soit la première, je lui devais de lui faire crédit. Il est encore temps. Je l'ai corrigé trop durement. Je n'en aurai que plus d'autorité pour le faire venir et lui dire : Je suis prêt à te pardonner. Mais répare. J'accepte que tu me rendes les livres et je te garde. Seulement, tu vas changer ta vie. Plus de cercle, d'abord. Prends ce papier. Écris ta lettre de démission. Plus de parties de théâtre avec tes camarades. Plus de séances aux courses. Je te donnerai assez de dossiers pour que tout ton temps soit occupé, même et surtout le dimanche. Je jugerai par ton travail si oui ou non tu mérites que je te rende mon estime et que je ne parle jamais à ta pauvre maman. »

Tel était le monologue qu'il se prononçait, assis maintenant à son bureau et vaquant lui-même à son travail. Il était attendu au Palais vers les deux heures de l'après-midi. Sa résolution de donner au coupable cette chance de se réhabiliter était si bien prise qu'il abrégea son déjeuner pour s'assurer le loisir d'un crochet entre la rue de Vaugirard, où il habitait, et la rue de l'Estrapade, derrière le Panthéon, où logeaient les Beurtin. Ou bien le jeune homme serait là, et il le verrait tout de suite, ou bien il lui laisserait sa carte avec un mot, lui fixant un rendez-vous immédiat, vers la fin de la journée. Une autre idée le poussait, qu'il n'admettait pas, tant elle était pénible : « Pourvu que Pierre-Stéphane n'ait pas lui-même parlé à sa mère ! » Arrivé sur le seuil de la vieille maison, dont l'aspect désuet contrastait étrangement avec la façade ultra-moderne de l'hôtel de la plaine Monceau possédé jadis par le spéculateur, il demeura saisi devant la physionomie de la loge. Plusieurs personnes s'y pressaient autour du concierge, en train de commenter, avec force gestes, un événement évidemment sensationnel. Le visiteur n'eut que trop vite le mot de cette énigme quand, ayant demandé : « Mme Beurtin est chez elle ? » cet homme lui répondit :

– « Je racontais justement à ces messieurs et à ces dames, monsieur, qu'elle vient de mourir de sa maladie de cœur. À peine si j'ai eu le temps de courir à Saint-Etienne-du-Mont chercher un prêtre, quand le docteur a dit qu'elle n'en avait pas pour une demi-heure… »

– « Son fils était là ? » questionna Jaffeux…

– « Il rentrait à peine, quand elle a eu sa crise. Il a assisté à tout. Ah ! monsieur, ce qu'il aimait sa mère, ce garçon !… Ce qu'il fait peine à voir !… »

C'était l'avocat lui-même qui avait indiqué jadis à Mme Beurtin cet appartement où elle venait d'expirer. Il l'avait choisi dans le fond de la cour, au rez-de-chaussée, afin qu'avec ses palpitations, elle n'eût pas d'escalier à monter. Il dut sonner deux fois à la porte, avant que la domestique se montrât, affairée et gémissante :

– « Ah ! monsieur Jaffeux ! Quel malheur ! Madame était si bien ce matin encore, quand M. Pierre-Stéphane est rentré ! Et puis… »

– « Est-ce que je pourrais le voir ? » demanda Jaffeux.

– « Il est auprès de Madame. Il ne fait que pleurer. Ça le confortera de voir Monsieur que Madame aimait tant. »

La brave fille avait disparu, pour revenir, visiblement très troublée, et dire d'un accent hésitant :

– « Monsieur Pierre-Stéphane s'excuse beaucoup, Monsieur. Mais il ne peut voir personne, qu'il dit, personne absolument, pas même Monsieur… »

– « Pourrai-je entrer faire une prière ? » avait interrogé Jaffeux.

– « C'est qu'il est à côté du lit, qui tient la main de Madame, et je ne sais pas… »

– « Eh bien ! » avait répondu Jaffeux, « je reviendrai… »

La gêne de la servante ne lui apprenait que trop comment le jeune homme avait reçu l'annonce de sa visite. Pas de doute. Il avait parlé à sa mère, avoué le vol, raconté la scène avec son protecteur, et la secousse de cette révélation avait donné à la malade cette crise mortelle. Maintenant il était insupportable au fils coupable de revoir celui dont il avait appréhendé qu'il le dénonçât. Il avait préféré parler le premier pour se défendre tout en s'accusant. Jaffeux avait eu, de cette horreur à son égard, une nouvelle preuve, en recevant le lendemain matin ce douloureux billet :

On enterre ma pauvre maman demain matin. Je vous demande, Monsieur, comme une charité, de ne pas venir à la cérémonie. Vous aviez le droit de me parler comme vous m'avez parlé. Ce n'est pas votre faute si votre attitude m'a désespéré au point que je n'ai pas su me dominer devant ma mère. Je ne vous en dirai pas davantage. Vous comprendrez ce que serait pour moi votre présence dans une heure aussi douloureuse. Vous aurez la charité de l'épargner à un fils qui souffre trop.

Et pas de formule protocolaire, pas de signature. Jaffeux se reprochait déjà trop vivement sa dureté dans l'entretien de la veille, pour ne pas avoir obéi à cette injonction. Il n'était donc pas allé à l'église, et, le soir même des obsèques, un paquet lui arrivait, contenant les cinq volumes dérobés. Une carte, sous enveloppe, les accompagnait, avec ce seul mot « *Merci.* » Pierre-Stéphane avait eu l'énergie, tout en faisant les démarches nécessaires aux funérailles, de passer chez le libraire, pour racheter les livres, comme il l'avait annoncé. Jaffeux en avait pris prétexte pour lui écrire, de son côté, une longue lettre, où, réalisant son projet de rapprochement, il l'invitait à venir le voir, et où il lui accordait ce pardon qu'il regrettait de ne pas lui avoir offert. Pas de réponse. Une semaine s'était passée. Nouvelle lettre. Même silence. Inquiet, il était allé rue de l'Estrapade, pour trouver l'appartement fermé.

– « M. Pierre-Stéphane vient de temps en temps prendre son courrier, » avait expliqué le concierge. « Il est à l'hôtel. Mais il ne nous a pas dit lequel. Il a donné congé, en payant son terme d'avance, et vendu en bloc tous les meubles à un tapissier. Ah ! monsieur, ma femme et moi avons bien peur que son chagrin ne lui porte à la tête… »

Quelques jours plus tard, et Jaffeux revenu, pour demander des nouvelles :

– « Je lui ai dit votre visite, » avait répondu l'homme… « Il ne vous a pas écrit ?… »

– « Non. »

– « Il est parti pour l'étranger, en me disant d'envoyer ses lettres à cette adresse. »

Et, tendant une feuille de papier :

– « Il est à Londres, vous voyez. »

– « À Londres, » avait répété Jaffeux. Puis, tout seul : « Quelle situation va-t-il chercher là-bas ? Il lui a fallu pourtant régler les affaires de la succession. Me Métivier, le notaire, me renseignera. »

Il avait fait cette démarche sans rien obtenir de précis sur les intentions de Pierre-Stéphane, qui avait laissé sa procuration, en annonçant qu'il s'installait en Angleterre, pour y apprendre la langue. Jaffeux avait su plus tard que Métivier, une fois la succession réglée, ne recevait plus de lettres de son client. Puis des semaines avaient passé, des mois, des années, sans qu'aucune nouvelle du disparu parvînt à son ancien patron. Pensant au jeune homme, il s'était demandé très souvent : « Qu'est-il devenu ? S'il avait bien tourné, il aurait éprouvé le besoin de me le faire savoir… » Et toujours, devant le mystère de cette destinée, où il avait joué un tel rôle, dans une minute décisive, un obscur remords se mêlait pour lui à ce souvenir. Le contre-coup de sa sévérité n'avait-il pas hâté la fin d'une amie si chère ? Oh ! que n'avait-il eu pitié du coupable ?… « Mais vit-il seulement ? » se demandait-il encore.

Oui, Pierre-Stéphane Beurtin vivait, dans quel étrange milieu, de quel étrange métier, et nourrissant peut-être quel projet redoutable pour une innocente enfant et sa famille !

IV

« Il n'y a pas à reculer, » se disait Jaffeux après une nuit passée presque tout entière à revivre dans l'insomnie les épisodes si lointains, mais redevenus si présents pour lui de ce petit drame domestique ; « il faut que cette charmante Renée Favy apprenne la vérité sur ce garçon. Je vais avertir sa mère qui saura, mieux que moi, comment lui révéler cette vilaine histoire. Si elle n'a pour son professeur de danse qu'une de ces naïves passionnettes imaginatives, trop fréquentes à son âge, ce sera un chagrin d'une matinée. Un sentiment profond, elle ne peut pas l'avoir, étant la fille de son père. J'ai si souvent constaté qu'ils avaient tant de traits communs dans le caractère ! Où avais-je la tête, hier, en supposant, même l'éclair d'une seconde, la possibilité d'une séduction ? Dès ce matin, je parlerai. Je n'en ai pas seulement le droit. J'en ai le strict devoir. »

Cette dénonciation était certes légitime. Elle serait assurément efficace. Et pourtant, traiter ainsi ce malheureux, – comme il continuait à l'appeler, – quelle dureté de nouveau, et, cette fois, sans l'excuse d'un sursaut de surprise et de colère ! Ce scrupule continuait de travailler l'excellent homme, en dépit des raisons qu'il se donnait de passer outre. Une rencontre, à peine sorti de sa chambre et descendu au rez-de-chaussée du Palace, lui fournit un prétexte pour reculer encore la révélation de la vraie personnalité de Neyrial à Mme Favy. Que savait-il de la vie actuelle de son ancien secrétaire ? Rien, et voici qu'une occasion s'offrait. Il se trouvait devant le directeur de l'hôtel qui le saluait, en lui demandant :

– « Êtes-vous content de la maison, monsieur Jaffeux, de votre chambre, des domestiques ? Nous avons porté à douze pour cent sur la note la gratification du personnel. C'est un peu haut. Mais nous n'avons que des employés de choix… »

Ce directeur, qui répondait au nom truculent d'Amilcare Prandoni, était un Génois, aux yeux très fins dans un masque usé et réfléchi d'homme de quarante ans, qui a trop peiné, trop veillé, trop subi de climats différents. Il avait été secrétaire d'hôtel dans l'Amérique du Sud, dans celle du Nord, dans l'Engadine, en Égypte, avant de présider à la fondation de ce *Mèdes-Palace*, ouvert au lendemain de la grande guerre, dans un bâtiment construit à la veille de 1914 par une société allemande. De tels personnages ont à leur service des subtilités de diplomates de l'ancienne école pour interpréter les moindres mots, les moindres gestes, les moindres inflexions de voix. La phrase par laquelle Jaffeux répondit à cette question, d'ordre bien banal, était bien banale aussi. Elle suffit pour que l'Italien posât sur l'avocat un regard scrutateur qui avertit celui-ci d'un mystère :

– « Mais oui, monsieur le directeur, je suis enchanté de l'hôtel et de vos gens, et aussi de la petite fête que vous nous avez donnée, hier, dans le hall, au thé. Vous avez là un danseur de tout premier ordre, d'une élégance, d'une distinction, d'une finesse ! Il s'appelle Neyrial, m'a dit Mme Favy. Est-ce vraiment son nom ? Et de quel pays est-il ?

– « Français, monsieur. »

– « Ah ! Et vous l'avez depuis longtemps ? »

– « De cette année. Il travaillait à Evian l'été dernier. J'y faisais une cure. Je l'ai vu danser. Je l'ai engagé. »

– « Mais, » insista Jaffeux, « pour des engagements pareils, vous prenez des références ? Car enfin, il ne suffit pas de bien danser pour être accepté dans un hôtel de la respectabilité du vôtre. »

– « Naturellement, » fit Prandoni, nous tenons à savoir où notre danseur mondain a déjà figuré, comment il s'est comporté. Celui-ci a fait cinq saisons, – à ma connaissance, – une à Londres, une dans les Pyrénées, une à Saint-Moritz, une à Ceresole-Reale, une à Evian. Personne n'a jamais rien eu à lui reprocher. Ni moi. Nous ne pouvons pas aller plus loin dans le passé de ces messieurs. Pour qu'ils aient les bonnes manières que nous exigeons, il faut qu'ils aient reçu une bonne éducation, par conséquent qu'ils appartiennent à une bonne famille. Or, les familles bourgeoises, en général, ne destinent pas leurs enfants au métier de danseur mondain. Ces garçons ont dû traverser quelque crise morale, quelque drame parfois. Ça ne nous regarde pas… »

Puis, brusquement :

– « Je vais être très indiscret, monsieur Jaffeux, vous m'en excuserez, quand je vous aurai dit pourquoi. Vous ne connaissez pas ce jeune homme, vous ?…

– « Moi, » fit Jaffeux, interloqué, « mais puisque je vous demande des renseignements sur lui !… »

– « Sans doute, mais votre ton, pour me les demander, m'a donné l'impression que vous ne parliez pas d'un inconnu, ou tout au moins qu'une ressemblance vous étonnait… Je veux être tout à fait franc avec vous, monsieur Jaffeux, et je vous répète, vous excuserez ce que ma question a pu avoir d'insolite. Voici… »

Il entraînait l'avocat dans son bureau, dont il ferma la porte, en vérifiant d'abord si personne n'était dans le couloir.

– « Monsieur Jaffeux, » continua-t-il, vous, je sais qui vous êtes, par Mme Favy, et quelle énorme situation vous occupez dans le barreau parisien. Je vais vous parler d'un événement très désagréable pour notre hôtel. Je suis sûr d'avance de votre absolue discrétion, et sûr aussi que ma question de tout à l'heure vous paraîtra légitime, quand vous saurez mon intérêt, comme directeur de ce palace, à connaître le passé de Neyrial. Il est venu ce matin me dire que sa santé ne lui permettait plus de continuer ses fonctions chez nous. Nous avons eu ici, dans ce même bureau, une discussion pénible. Un tel manque de parole contrastait trop avec la cordialité habituelle de nos rapports. Et puis… C'est le point sur lequel je vous demande cette absolue discrétion. Vous me la promettez ?… »

– « Je vous la promets, » dit Jaffeux.

– « Et puis, il y a autre chose. Voici trois jours qu'un bijou d'une grande valeur, une barrette de diamants avec une très belle émeraude, a été volé chez nous. Elle appartient à une lady Ardrahan, notre cliente depuis deux hivers. Elle avait posé et oublié la barrette dans une coupe, sur sa table à coiffer. Elle se le rappelle très bien. Elle ne l'a plus retrouvée. Sur ma prière, elle n'a pas encore porté plainte. Je lui ai demandé un peu de temps, pour procéder à une enquête secrète, qui, jusqu'à ce moment, n'a rien produit. Ce brusque départ de Neyrial coïncidant avec ce vol, – il est de lundi, nous sommes jeudi, – m'a donné à penser. « Et où allez-vous ? » lui ai-je demandé. Sur sa réponse « Je n'en sais rien encore, » moi, je n'ai plus hésité. Je lui ai raconté l'histoire du bijou disparu, en ne lui cachant pas que sa façon de s'éclipser en ce moment avait tout l'air d'une fuite, et pouvait autoriser des soupçons. »

– « Et quelle a été son attitude ? »

– « Très singulière. Coupable, la révolte était naturelle ou l'aveu. Innocent, la révolte encore. Il est demeuré consterné. « Faites fouiller mes malles. Faites-moi fouiller, » a-t-il répondu. Je devais le prendre au mot, n'est-ce pas ? Une espèce d'air de dignité, que je lui ai toujours vu, m'a empêché de lui faire cet affront. Comme je ne relevais pas son offre, il a repris, après un silence : « Dans ces conditions-là, d'ailleurs je ne quitte pas Hyères. Je vais à Costebelle, » et il me donne le nom d'un des hôtels de là-bas. Je l'ai laissé partir. Puis, je me suis reproché ma faiblesse. « Il m'a menti, » ai-je pensé. J'ai téléphoné à Costebelle. Il y est, en effet. Mais ce pourrait être, comme son offre de visiter ses bagages, la ruse d'un adroit filou qui se dit : – « Me sauver, c'est me dénoncer. Rester, c'est désarmer le « soupçon. » Vous comprenez maintenant, monsieur, mon impression quand j'ai cru deviner, à votre manière de m'interroger sur lui, que vous le connaissiez. Je vous voyais intrigué par sa présence au Palace dans ce rôle de professionnel. Il y aurait un tel intérêt pour moi, j'y insiste, à savoir son passé ! Alors, je me suis dit le mieux est de mettre M. Jaffeux au courant de l'affaire. Les hommes sont toujours pareils à eux-mêmes. S'il était établi que ce garçon, qui appartient certainement, je le répète, à une famille bourgeoise, s'est déclassé par suite d'une très grave faute, avouez, vous qui possédez, par votre profession, une grande expérience des malfaiteurs, qu'il y aurait beaucoup de chances pour que ce fût lui, le voleur du bijou… »

– « À tout le moins, » fit Jaffeux, « des présomptions. »

En écoutant le directeur, il venait d'éprouver cette sensation de la destinée qui nous prend devant la rencontre de plusieurs hasards, jouant les uns sur les autres. C'était un hasard, très naturel et comme il s'en produit tous les jours, ce vol de bijoux commis dans un palace. Que le directeur en eût parlé à quelqu'un qu'il savait un célèbre avocat, rien en revanche de plus logique. Mais c'était de nouveau un hasard, d'ailleurs très naturel aussi, que cet avocat eût choisi, parmi les ombreux hôtels de la Riviera, précisément celui où son ancien secrétaire tenait ce poste de danseur professionnel, et rien de plus logique encore que la terreur dudit secrétaire, à l'idée de se retrouver en face de son ancien patron, trahi par lui, jadis, et sa fuite. Comment Jaffeux, infiniment sensible sous la réserve de ses manières, n'eût-il pas été troublé de se retrouver, par la conspiration de ces événements, – tous ordinaires, pris à part, – dans un rôle de justicier vis-à-vis du fils de la femme qu'il avait, dans sa vie, le plus respectée ? Le reproche, qu'il se faisait si souvent, d'avoir été trop sévère une première fois, provenait surtout, – on la marqué déjà, – du fait que cette sévérité avait précipité Pierre-Stéphane à cette confession qui avait tué sa mère ? Toujours est-il que ces souvenirs, évoqués depuis la veille, auxquels était mêlée par contre-coup l'image de Mme Beurtin, l'assaillirent soudain, devant la question de l'hôtelier, avec trop de force. Ils lui rendirent impossible une franchise qui constituait, dans la circonstance, une seconde exécution, et il s'entendait répondre, lui qui se faisait un honneur de répugner au moindre mensonge :

– « Non, monsieur Prandoni, je ne connais pas ce jeune homme. Si je vous en ai parlé, c'est par une simple curiosité qui vous prouvera que je suis vraiment un homme d'autrefois. La société a tellement changé depuis la guerre, que, nous autres, vieilles gens, tout nous étonne ainsi cette profession excentrique dans un palace, de professionnel de la danse, – vous venez d'employer ce terme, – je ne soupçonnais même pas, il y a vingt-quatre heures, qu'elle existât... »

Et un scrupule le saisissant :

– « Vous n'avez pas d'autres idées sur l'auteur du vol ?... »

– « Si, mais bien vagues..., » reprit le directeur, visiblement déçu. « J'en ai parlé avec le commissaire, que j'ai prévenu officieusement. Il s'agit de deux des employés de l'hôtel, mais mariés, pères de famille. À tout hasard, nous avons signalé aux bijoutiers d'Hyères et aux marchands de bibelots, les caractéristiques de la barrette, en donnant l'objet comme perdu. Le commissaire prépare une circulaire pareille pour Toulon, Nice et Marseille. Je n'ai pas confiance. Mais enfin !… »

« N'aurais-je pas dû lui dire la vérité ? » se demandait Jaffeux au sortir de cette conversation, tout en se promenant dans le jardin de l'hôtel, où verdoyait entre les palmiers cette végétation exotique, agaves, cactus, yuccas, qui donne à ce coin de la côte provençale une physionomie africaine. Le soleil, déjà haut, baignait de lumière les rigides feuillages qui contrastaient avec la souple délicatesse des fleurs épanouies dans le gazon : sombres pensées veloutées, odorants et pâles narcisses, larges violettes. Mais l'avocat n'avait plus l'âme ouverte à ce charme du matin méridional, si enivrant pour un Parisien arrivé de la veille comme lui. Après avoir cédé au scrupule de recommencer le geste inexorable de jadis, il se débattait à présent contre le scrupule contraire celui d'avoir ménagé sans doute un coquin. Les chances pour que Pierre-Stéphane en fût devenu un lui apparaissaient si nombreuses. Ce métier que l'avocat venait de qualifier d'excentrique, ne représentait-il pas un reniement définitif de cette classe bourgeoise à laquelle il appartenait par toutes les fibres, par suite, un abandon probable de ses vertus, dont la première est la probité ? Mais oui, le voleur des livres était celui du bijou. Comment la conscience du fils d'un Auguste Beurtin, héréditairement si faible aux tentations, – le premier vol le prouvait trop – ne se serait-elle pas pervertie dans ces caravansérails de saison, avec leur atmosphère de luxe et d'abus ? Sa fuite, aussitôt aperçu le témoin de sa lointaine faute, quel aveu ! Que cette première défaillance fût révélée, un soupçon s'éveillait aussitôt qui, pour son ancien patron, se changeait, à cette minute, en certitude.

« Et ces deux employés, » se disait-il encore, « que le directeur est tout près d'incriminer ? Vais-je permettre qu'ils subissent cette épreuve d'une accusation, si pénible à des inférieurs ?… »

Il en était là de ses réflexions, quand il aperçut Mme Favy et sa fille qui se promenaient, elles aussi, « au bon du jour », pour parler le langage du cru. Leur allure lente dénonçait la maladie de la mère qui devait s'arrêter de temps à autre, et Jaffeux la voyait caresser au

44/126

soleil son visage amaigri et souffrant. Une involontaire association d'idées lui rappela de nouveau Mme Beurtin et ses propres impressions quand il avait appris sa mort. La fille cheminait à côté de la mère, la soutenant du bras et réglant son pas sur celui de la cardiaque. Mais, tandis que celle-ci souriait à la gaie lumière, autour des tempes jeunes de Renée, de son front sans rides, de ses joues pleines, flottait un halo de mélancolie. Elle regardait devant elle, distraitement, comme indifférente, visiblement absorbée dans une pensée que Jaffeux interpréta dans le même sens que la veille :

« Il est parti. Elle le sait. Voilà pourquoi elle est triste. »

Le besoin d'y voir plus clair dans cette énigme le fit s'approcher des deux femmes, et, après quelques phrases banales sur le rayonnement de la matinée, la douceur du climat, la beauté du paysage, cette mer bleue, ces îles violettes, ces sombres montagnes boisées, il demanda :

– « Je n'ai fait que penser à ces danses, hier. Je les connais si peu. Cela vous ennuierait-il, mademoiselle, que je vous voie prendre votre leçon ? »

– « Vous touchez à un point sensible, » dit la mère. « Elle n'en prendra plus. Son professeur est parti. »

– « Et qu'est-il arrivé ? » insista-t-il. « Ce malaise d'hier ?… »

– « Il aura eu sans doute quelque difficulté avec le directeur à ce propos, » interrompit Mme Favy, tandis que sa fille continuait à se taire. « Si c'était grave, il serait à la chambre, au lieu qu'il a décampé dare-dare. Nous n'avons même pas réglé ses leçons. »

– « On n'a jamais été très bien ici pour lui, » dit Renée. « Il suffit de le voir, ce directeur. Il est si ordinaire ! M. Neyrial, lui, c'est un monsieur… »

– « Sans cela, » reprit la mère, « tu penses bien que je ne t'aurais pas laissée prendre des leçons avec lui… » – Et, se tournant vers l'avocat : – « C'est qu'avec ces professeurs de danses modernes, il faut se méfier. Il y en a d'incroyables. Une de nos amies en accepte un pour sa fille qui dit à cette enfant, – un ange, monsieur Jaffeux, – dès la première leçon : « Rappelez-vous ce principe, mademoiselle. Les jambes de la danseuse et celles du cavalier ne doivent pas cesser de se toucher… » Quelle grossièreté, n'est-ce pas ? »

– « Ah ! » fit Renée, « M. Neyrial, lui, nous tenait un autre langage. Vous vous rappelez, maman, ce qu'il disait sur le tango, qu'à entendre ces airs espagnols, on devient musique de la tête aux pieds. Comprise ainsi, la danse a tant de poésie !… Quand j'ai commencé à prendre des leçons, j'ai tout de suite aimé à danser, pour le mouvement, comme le tennis, comme la bicyclette. Avec lui, j'ai appris à sentir qu'il n'y a pas une danse, mais des danses, chacune avec son charme particulier, celui de son rythme. L'une m'évoque, quand ce rythme est doux et langoureux, un paysage d'Orient. L'autre me fait redevenir une petite fille par les paroles enfantines dont elle s'accompagne et sa mélodie simpliste. Je serai toujours reconnaissante à M. Neyrial de m'avoir expliqué tout cela, et si finement ! »

– « Je dois dire, » interjeta la mère, « qu'il m'a bien étonnée chaque fois que nous avons causé ensemble. Son joli français d'abord, son instruction, ses manières dans un pareil métier… »

– « C'est un orphelin, » fit Renée. « Il nous l'a dit un jour. Quand ses parents sont morts, il s'est trouvé sans fortune ou presque. Il était à Londres, où il cherchait une position. Il avait toujours eu le goût du sport. Un Anglais qu'il avait connu à l'ambulance, – car il a été blessé comme soldat, – vous avez remarqué son ruban, – était danseur dans un hôtel. Il tombe malade. Il demande à M. Neyrial de le remplacer. Celui-ci accepte. Le métier l'amuse, et, pour gagner sa vie, il continue. Voilà ce qu'il nous a raconté, à mon frère et à moi. »

– « Combien peut-il être payé ? » interrogea l'avocat.

– « Mais très cher, » répliqua Mme Favy. « Pour les cinq premières leçons, trois cents francs, et il n'accepte jamais d'en donner moins de cinq. Ensuite, à partir de la sixième, c'est cinquante francs la leçon. Or, il a jusqu'à dix et douze élèves dans la matinée et l'après-midi. Et, remarquez, défrayé de tout logement, nourriture, service. Calculez. Mais c'est un traitement de général. »

– « Et si désintéressé !… » reprit la jeune fille. « Quand il s'agit d'une fête de charité, pas de peine qu'il ne se donne, et il n'accepte aucune rémunération. »

– « Je continue à être intrigué par ce nom de Neyrial ? » dit Jaffeux.

– « Un nom de guerre, sans doute, comme tant d'autres, » fit Renée.

– « Et son vrai nom ? »

– « Nous ne lui avons pas demandé, » répondit la mère. « Nous aurions craint de le froisser. D'après quelques mots qu'il a dits encore à Gilbert, j'ai cru comprendre que son père était dans les affaires. Il l'aura ruiné… »

– « C'est une supposition que vous faites, maman, » dit la jeune fille. « Je croirais bien plutôt que c'est lui qui aura sacrifié sa fortune pour régler les dettes des siens. En tout cas, il ne s'est jamais plaint d'eux. Il est trop délicat. »

L'entretien fut interrompu par une des clientes de l'hôtel, que les dames Favy connaissaient, et à qui elles présentèrent leur compagnon. D'autres propos s'échangèrent, au cours desquels le nom de lady Ardrahan fut prononcé, sans aucune allusion à la barrette disparue, preuve que la victime du vol observait strictement, elle aussi, la consigne de discrétion, que le directeur considérait comme nécessaire au bon renom du *Mèdes-Palace*.

« Je ne me trompais pas, » se disait Jaffeux, après s'être séparé du groupe. « Cette petite s'est laissé prendre le cœur. Son père a voulu qu'elle fût élevée à l'ancienne manière, et c'est bien une jeune fille de mon temps, une de ces enfants si préservées, si surveillées, que la vie n'a rien touché en elle, rien flétri. Mais ignorant tout des réalités du monde, elles sont sans défense contre leurs illusions, et pour peu qu'elles aient de l'imagination, follement romanesques, comme celle-ci. Elle est amoureuse de Pierre-Stéphane, si naïvement

Sa simplicité pour en parler à sa mère prouve son innocence. C'est à se demander si la brutale éducation d'aujourd'hui n'est pas dans le vrai, en traitant les filles comme des garçons. Alors, oui, elles ont de la défense. Mais un cœur de vierge dévelouté à vingt ans, comme c'est triste, et que je préfère cette charmante Renée ! Seulement, il faut la guérir. Elle ne sait pas elle-même ce qu'elle sent. Hélas ! Elle le saura, rien qu'à son chagrin quand elle apprendra qu'elle s'est intéressée à un rat d'hôtel de la pire espèce, si vraiment Pierre-Stéphane est le voleur. Et qu'il le soit, tout le démontre. Le mieux serait qu'il fût arrêté immédiatement, d'abord pour les gens que le directeur soupçonne, et surtout pour cette pauvre et déraisonnable enfant. Pas de scandale. Ce malheureux disparaît. Elle pleure. Puis, comme elle a de l'honneur, ses larmes lui font honte. Elle n'entend plus parler de ce drôle, car, en tout cas, c'est un drôle d'avoir joué avec elle ainsi… Elle l'oublie. Ce grand amour n'aura été qu'un rêve. Mon devoir n'est pas douteux. Sachant ce que je sais sur Beurtin, je dois ce renseignement à la police. Il faut que j'aille chez le commissaire. »

V

Maintenant la dénonciation devenait en effet le devoir absolu, mais combien pénible, à cause du malaise de conscience que le souvenir de son ancienne dureté continuait de laisser à Jaffeux ! Il recula cette démarche, jugée pourtant obligatoire, jusqu'au lendemain très tard dans la matinée. Il n'était pas sorti de sa chambre, de peur de rencontrer Mme Favy. Il se forçait à espérer que lady Ardrahan s'était trompée, que le bijou simplement égaré se retrouverait, ou encore que Pierre-Stéphane, malgré tant d'apparences, n'était pas le voleur, et que celui-ci se découvrirait. Il savait trop bien pourtant que ce n'étaient là que de pauvres prétextes pour ne pas agir.

« Je suis trop lâche… » finit-il par se dire, et, comme onze coups sonnaient à la pendule – « Aussitôt après le déjeuner, je serai chez le commissaire, je m'en donne la parole. »

L'avocat ne se rappelait pas avoir, une seule fois dans sa vie, manqué à un engagement pris ainsi avec lui-même, et sa montre marquait à peine deux heures, quand il se présenta dans le bureau du magistrat. Sa carte remise, il fut aussitôt reçu par un jeune homme, maigre et très brun, qui se confondait en protestations avec une gêne dont son visiteur eut vite l'explication :

– « Que désirez-vous de moi, mon cher maître ? Vous devinez combien je désirerais pouvoir être utile à une des gloires du barreau de Paris… » – Et, sur un hochement de tête de l'avocat : – « Mais oui. J'étais tout petit débutant, rue des Saussaies, quand je vous ai entendu plaider dans cette affaire des sucreries d'Aulnat, pour M. Calvières. Seulement, il faut que je vous avertisse, je ne suis encore qu'un pauvre inspecteur. Le commissaire est malade, son secrétaire aussi. On m'a chargé du remplacement la semaine dernière, et je connais très mal le pays. Draguignan, mon poste d'attache est loin, et plus loin encore Ajaccio, mon pays. Mais on est Corse. On se débrouille… »

« Le pauvre garçon, » pensait Jaffeux, « a peur, s'il ne me contente pas, que je le desserve à Paris auprès de quelque chef. Comme on a raison, quand on est Français, de n'être pas fonctionnaire !… » Et, tout haut : – « je vous remercie de votre obligeance, monsieur l'inspecteur. Je n'ai pas de service à vous demander, je viens vous en rendre un, peut-être. Je vous apporte un renseignement de nature à vous aider dans une recherche assez délicate. Il s'agit d'un vol commis au *Mèdes-Palace*, – le directeur vous l'a signalé, m'a-t-il dit, – au détriment d'une dame anglaise. »

– « Il me l'a signalé, en effet, mon cher maître. »

Le visage de l'apprenti-commissaire, d'une mobilité si méridionale tout à l'heure, se tendait dans une expression tout officielle. Ses traits accentués s'étaient comme figés. Mais ses yeux noirs, à travers leurs paupières mi-fermées, dardaient un regard d'une malice singulière, celui d'un inférieur qui se prépare à étonner un supérieur, et il écoutait Jaffeux raconter l'histoire de son ancien secrétaire, la disparition des cinq volumes, l'effronterie du coupable, son éclipse soudaine ensuite, et comment il venait à sa stupeur, de le retrouver, l'avant-veille, danseur mondain dans cet hôtel.

– « J'ai pensé, » conclut-il, « que cette indélicatesse d'il y a cinq ans pouvait, dans la circonstance présente, constituer une présomption de culpabilité. »

– « Et vous avez bien pensé, mon cher maître, » dit l'inspecteur. « Décidément, un grand avocat est le meilleur des juges d'instruction, et, la preuve… »

Tout en parlant, il ouvrait le tiroir de son bureau, pour en extraire une boîte en carton, et de cette boîte un bijou dont les diamants jetèrent un feu. Une grosse émeraude brillait au centre, qui ne permettait pas le doute.

– « Mais oui, » continua-t-il, amusé et flatté par le visible étonnement de son interlocuteur, « c'est la barrette volée à lady Ardrahan, et volée…, par qui ? Par le pseudo Neyrial… Et qui l'a rapportée ici, ce matin ? Le voleur en personne… Ce que ça m'a fait plaisir !… Entre nous, j'étais perplexe. C'est le premier délit grave signalé depuis mon arrivée. Allais-je échouer ? Je ne songeais qu'à cela depuis quatre jours. Le directeur m'avait bien indiqué deux pistes. Moi, j'en entrevoyais une autre, et, avant de vous avoir écouté, il me restait l'idée que je ne m'étais pas absolument trompé. Vous jugerez... Donc, ce matin, à dix heures, le pseudo Neyrial me fait passer sa carte, comme vous tout à l'heure. Je le reçois. Il me tire l'objet de sa poche, en me disant « Monsieur le commissaire, je suis chargé de vous remettre ce bijou, qui appartient à une dame anglaise, logée au *Mèdes-Palace*. Vous avez dû être averti... » Pensez si j'étais heureux et intrigué à la fois. Je l'interroge : « Voulez-vous m'expliquer, monsieur, comment cette barrette se trouve entre vos mains ? » Et lui : » Je vous demande la permission de ne pas vous répondre, monsieur le commissaire... » – « Mais il faut me répondre, monsieur, » insistai-je. Je vous ai déjà dit, cher maître, que j'avais mon idée. Un garçon de trente ans, comme celui-là, joli homme et danseur professionnel dans un palace, c'est un coq dans un poulailler. Une hypothèse s'imposait : une de ses maîtresses avait poissé le bijou. Elle n'avait pas pu le vendre. Elle s'était confessée à lui... à moins qu'ils ne fussent complices. « En tout cas, toi, mon ami, » me dis-je, « puisque tu t'es chargé de la restitution, tu vas te mettre à table. » Pardon de mon argot... Vous êtes un peu de la partie, cher maître. Vous avez compris que j'allais essayer de lui faire manger le morceau. Je commence donc un petit discours dont vous devinez la teneur. C'était élémentaire. Je lui pose ce dilemme : « Me nommer immédiatement la personne de laquelle il tenait cette broche, et alors immunité complète. Sinon, une enquête judiciaire. » Et je conclus : « En face d'un coupable qui avoue et qui restitue, la justice peut pardonner et passer outre. Dans le cas présent, et devant le silence du coupable, il reste un délit dont elle se doit de rechercher « l'auteur... » Mon raisonnement était très simple. Qu'il n'eût pas bonnement rapporté la broche comme trouvée par hasard, cette imprudence apparente dénonçait un calcul. Mon chef à la Sûreté générale, un limier de premier ordre, nous répétait : « Toutes les démarches des délinquants sont compliquées, parce qu'ils ont trop pensé aux dangers possibles. » Le directeur du *Mèdes-Palace* m'avait transmis un témoignage indiscutable, celui de la propriétaire de la broche, qui se rappelait très nettement l'avoir laissée sur sa table à toilette. Le Neyrial connaissait ce petit fait, évidemment. C'était la raison pour laquelle il n'avait point parlé de trouvaille. Mais le voleur aurait pu la perdre ou la jeter, cette broche, et lui, Neyrial, l'avoir ramassée. Seulement, ce système-là comportait un risque, celui d'entraîner un interrogatoire qu'il voulait éviter, qu'il eût évité, si je n'avais pas eu, moi aussi, mon idée de derrière la tête. J'y ai fait allusion déjà, et je vous avouerai que je cédais à l'amour-propre professionnel en insistant : « Voyons, dites-moi toute la vérité, toute, et d'abord ce nom du coupable. Je m'engage, puisque aucune plainte n'a été portée officiellement, à ne pas poursuivre l'affaire et à vous garder le secret… – Même vis-à-vis de M. Prandoni ? – Même vis-a-vis de lui. – Eh bien, monsieur le commissaire, » finit-il par répondre, « c'est moi, l'auteur du vol. » Pas un mot de plus pour atténuer sa faute, ni pour en préciser les circonstances. Qu'en avais-je besoin, d'ailleurs ? Ce que j'ai pu lui dire, à mon tour, vous le devinez : mes félicitations pour sa franchise, l'assurance réitérée que je tiendrais ma promesse d'indulgence plénière et de secret, – je ne crois pas y manquer en vous parlant à vous, comme je fais, puisque vous savez sur lui ce que vous savez, et que je suis sûr de votre discrétion. – Enfin, pour achever, je lui ai servi le sermon de rigueur. Il écoutait, dans une attitude que je m'explique moins que jamais, après ce que vous venez de m'apprendre. Émissaire d'un voleur, comme il l'avait déclaré d'abord, ou voleur lui-même, comme il le déclarait maintenant, il se trouvait associé à une très malpropre histoire. Je renonce à vous décrire l'air de hauteur répandu sur toute sa personne. »

– « Je le reconnais bien là, » dit Jaffeux, « il n'a pas changé. Il se tenait ainsi devant moi, quand je l'ai mis en face de sa vilenie. C'est même exaspéré par cette arrogance que je lui ai parlé avec une sévérité que je regrettais, jusqu'à notre conversation d'à présent. »

– « Je suis plus naïf que vous, mon cher maître, » reprit l'inspecteur. « En le voyant faraud, comme disent les gens d'ici, je lui ai fait le crédit de penser : il se dévoue à quelqu'un d'autre, et il en est fier. J'avais à l'œil, avant sa démarche, une certaine Mlle Morange, la danseuse du *Palace* qui travaille avec lui. Tout un roman, je vous le répète, s'était bâti dans mon esprit : cette fille volant la bague, prenant peur, se confiant à son camarade, son amant sans doute, et, celui-ci s'accusant pour empêcher des recherches, qui risquaient de mettre à jour la vérité. Vous venez de la jeter par terre ma construction. Du moment qu'il a cette vilaine histoire dans son passé de jeune homme, mes idées changent. Il vous a reconnu, et c'est lui qui a pris peur. Il s'est dit : « M. Jaffeux saura ce vol commis dans l'hôtel et que l'on cherche le voleur. Il croira de son devoir d'apprendre à la police qui je suis et l'histoire des livres. » Remarquez, cher maître, c'est précisément ce que vous avez fait. « On me questionnera. On m'arrêtera. Rapportons le bijou. Cette restitution coupera court à tout. » La chose est claire maintenant. Contrairement à vous, je regrette un peu, à présent que vous m'avez renseigné, de n'avoir pas été plus sévère. Et même… Mais ce qui est promis est promis. D'ailleurs, c'est l'intérêt de l'hôtel, donc de la ville, qu'il n'y ait pas de scandale de cet ordre. Ce garçon a évidemment une nature de cambrioleur. Il n'en est pas à son second vol, croyez-le bien. Il continuera et se fera prendre ailleurs. Cet aveu, par terreur de votre présence, n'est pas une preuve de repentir. Je dirai volontiers tout au contraire… »

« L'inspecteur a raison, » songeait Jaffeux, en s'éloignant d'Hyères maintenant, dans la direction de son hôtel. « Ce malheureux est un voleur-né. C'est la filière : le grand-père est un fastueux, mais il travaille. Il a un fils qui dépense, ne travaille plus, et le petit-fils est un escroc. Non, je n'ai pas eu tort autrefois de l'exécuter… »

Il regardait autour de lui, pour exorciser ces tristes impressions. Des haies de roses bordaient le chemin. Sur la pente de la colline, l'or des mimosas alternait avec la verdure grise des pins d'Alep, détachée délicatement sur le bleu du ciel.

« Que la nature est belle ! » se disait-il encore, « et que la vie humaine est laide ! Il y a pourtant de nobles êtres, ainsi cette pauvre Mme Beurtin, et des âmes pures, ainsi cette petite Renée. Cette fois, du moins, les choses s'arrangent au mieux. Pierre-Stéphane va disparaître. Cette enfant ne le reverra plus. Elle l'oubliera. Est-ce assez heureux que je sois descendu dans cet hôtel ! Aucun doute. Ce bandit a eu peur de moi, comme dit l'inspecteur. Sinon, il gardait le bijou. C'était un petit malheur. Mais il continuait son entreprise de séduction, et ça, c'était la catastrophe… »

Il arrivait au *Mèdes-Palace* parmi ces pensées, et, tout de suite, le seuil franchi, il avisa Mme Favy qui causait nerveusement avec le portier, une enveloppe à la main :

– « Vous ne connaissez pas du tout la personne qui a apporté cette lettre ? »

– « Non, madame… »

– « Vous dites que c'était un enfant… »

– « Oui, un petit garçon que j'ai vu une seconde. J'étais allé au téléphone. Je reviens. Je l'aperçois qui pose la lettre sur le bureau et se sauve. Elle était à votre nom. Je vous l'ai remise… »

– « Et ce n'est pas du papier de l'hôtel ? »

– « Non, madame, » – le concierge tâtait de ses grosses mains l'enveloppe que lui tendait Mme Favy. – « Ce papier-ci est de fabrication française, et nous n'avons, nous, que du papier anglais… »

– « Que se passe-t-il ? » demanda Jaffeux, en s'approchant de Mme Favy, comme elle quittait le bureau. « Vous avez reçu une mauvaise nouvelle ?… »

– « Non, » dit-elle. – Puis, comme saisie d'une idée subite : – « Que pensez-vous d'une lettre anonyme ?… »

– « Que c'est une infamie, madame, et qu'il faut mépriser. En ma qualité de Parisien un peu en vue, j'en ai reçu quelques-unes. Je regarde le commencement, la fin. Pas de signature ? Je déchire sans lire. »

– « Vous êtes un homme, vous n'avez pas de nerfs. C'est plus difficile à une femme, cette sagesse-là, surtout quand il s'agit de ce qu'elle aime le plus au monde… » Et impulsivement – « Vous êtes discret, monsieur Jaffeux, et par profession, et par caractère. Le colonel m'a souvent dit combien il vous estimait. Lisez cette ordure. »

Sa main tremblait, en tirant, de l'enveloppe à moitié fermée, et pour le donner à l'avocat, un carton tapé à la machine. Son souffle court disait son émotion. Ses yeux brillaient d'un éclat de fièvre dans son visage consumé, où les taches des pommettes se faisaient plus rouges. Elle dut s'asseoir tandis que Jaffeux lisait les lignes suivantes, où l'inégalité des lettres attestait la frappe hâtive de doigts novices :

Mme Favy ferait bien de surveiller les tête-à-tête de sa fille avec M. Neyrial, dit le beau danseur, dans le jardin de l'hôtel. Il y a trop de fenêtres d'où l'on peut voir ce jeune et intéressant couple se promener sentimentalement. Ces rendez-vous ne sont pas pour faciliter le mariage de Mlle Renée, pas plus que les parties de baccara au Casino celui de M. Gilbert. À bonne entendeuse, salut.

– « Qu'en dites-vous ? » interrogea-t-elle, quand Jaffeux lui rendit la lettre.

– « Qu'il faut déchirer cet ignoble papier et n'en point tenir compte. »

– « Je ne peux pas, » répondit Mme Favy. Elle secoua la tête, en répétant « Je ne peux pas. »

Puis, après une hésitation :

– « Ce qu'il y a d'affreux dans cette lettre, c'est la part de vérité qu'elle contient. Sur mon fils d'abord, qui a passé plusieurs de ses soirées au Casino, ces temps-ci. On me dit que la partie y est très grosse. J'ai peur qu'il ne se soit laissé aller à jouer… Et surtout, il y a ma fille. Ces promenades en tête à tête dans le parc, c'est une calomnie, j'en suis sûre. Seulement voici quelque temps déjà que je crains qu'elle ne s'intéresse trop à ce M. Neyrial… »

– « Mais, puisqu'il est parti, » objecta Jaffeux.

– « C'est précisément depuis ce départ que Renée m'inquiète, » reprit la mère. « Quand vous en avez parlé, hier, je vous ai dit que vous touchiez à un point sensible. Je plaisantais, pour lui cacher ma défiance et l'observer pendant qu'elle vous répondrait. Vous n'avez pas remarqué son exaltation. Moi, si. Et une fois seules, un silence morne, un abattement, une mélancolie !… À peine a-t-elle déjeuné et dîné. Elle couche dans la chambre à côté de la mienne, la porte ouverte. Elle n'a pas dormi… » – Et. montrant de nouveau la lettre :

– « J'ai peur de ne pas les avoir assez surveillés, elle et son frère. Renée est si sensible et Gilbert si entraînable. »

Elle s'interrompit, déchirée par une subite quinte de toux, qui lui fit porter son mouchoir à sa bouche. Elle le retira taché d'un peu de sang, et montrant sa poitrine et son dos :

– « Ah ! Que j'ai mal quelquefois, là et ici ! Je crois bien, mon pauvre ami, que je ne durerai plus très longtemps… »

– « Vous venez d'avoir une grosse émotion, » dit Jaffeux, « et vous êtes très nerveuse, tout simplement. Les vases fêlés sont ceux qui se cassent le moins vite. On les ménage. Vous m'enterrerez, allez, moi et quelques autres. »

Elle haussa ses minces épaules et elle eut aux lèvres un de ces sourires avec lesquels les malades condamnés, et qui le savent, accueillent les mensonges consolateurs des médecins.

– « Je suis la femme d'un soldat. J'ai du courage… Pas avec mes enfants, hélas Et justement, vous trouverez cela bien étrange, c'est la sévérité toute militaire de notre intérieur qui explique ma faiblesse vis-à-vis d'eux, quand leur père n'est pas là. Le colonel, lui, ne connaît que la discipline, pour les autres comme pour lui-même. Les êtres jeunes, il ne s'en rend pas compte, – car Dieu sait s'il aime sa fille et son fils, – ont besoin de respirer une atmosphère plus libre. Il leur faut de la détente, une expansion de leur trop-plein de force, un peu de fantaisie. Quand les docteurs m'ont envoyée dans le Midi, tout de suite Renée est devenue une autre personne, allante, épanouie, heureuse. Lorsque je la vois ainsi, je me sens trop contente pour rien lui refuser de ce qu'elle désire. Elle a voulu prendre ces leçons de danse j'ai dit oui, et je les ai cachées à mon mari. J'ai presque honte à vous l'avouer : il est venu passer vingt-quatre heures ici, nous ne lui en avons pas parlé. J'en suis bien punie… C'est comme pour mon fils. Il m'est arrivé avec son père, et si nerveux, si contracté ! Où aurais-je trouvé la force de lui défendre ces sorties du soir, et ces séances au Casino, qu'incrimine cette abominable lettre ? Avec lui également je me suis tue. Mon cœur bat si fort quand je dois parler de ce qui me touche à fond. Ah ! puisque je vous raconte tout, monsieur Jaffeux, si vous pouviez… »

– « Le confesser ?... » dit-il, continuant la phrase que la mère, trop anxieuse, n'osait achever.

– « Que vous êtes bon ! » reprit-elle : « Oui. Savoir du moins s'il a joué... » – Elle hésitait de nouveau... – « et perdu de l'argent... »

– « J'essaierai, madame... »

Et, la regardant avec cette autorité, à la fois douce et ferme, dont il connaissait le magnétisme pour l'avoir exercé souvent sur des clients trop émotifs :

– « À une condition, pourtant : vous tâcherez vous, madame, vous, de confesser votre fille. Oui, en lui montrant la lettre anonyme. Vous me faites l'honneur de me traiter comme un ami. C'est un ami du colonel Favy et de vous-même, si vous le permettez, qui vous adjure de ne pas vous taire, cette fois. Dans la vie d'une jeune fille, un premier sentiment est une chose bien grave. Si, par malheur, Mlle Renée s'était laissé troubler par ce Neyrial, il faut que vous le sachiez et que vous la guérissiez... »

– « Comment ? » gémit-elle.

– « Nous y arriverons, » affirma-t-il ; et, plus autoritaire encore : « J'en fais mon affaire. Le point capital, c'est de savoir, et, rien qu'à la regarder lire cette lettre, vous saurez... Mais les voici l'un et l'autre. »

VI

Une galerie vitrée contournait le hall, derrière laquelle se profilaient les silhouettes de Gilbert et de Renée :

– « C'est tout de suite qu'il faut lui montrer cette lettre, à elle, » insista Jaffeux, « tout de suite. Est-ce promis ? »

– « C'est promis, » répondit Mme Favy, comme redressée par la suggestion de cette volonté ; et elle ajouta « Merci. Vous venez de me faire tant de bien. »

– « Un mot encore, » fit Jaffeux. « Vous m'avez dit hier que Gilbert et ce Neyrial étaient très amis ? »

– « Très camarades, plutôt. Ils se connaissent depuis si peu de temps. Là encore, j'ai été faible. J'ai laissé Renée faire de longues promenades avec eux deux. Avant-hier, par exemple, ils étaient à Giens tous trois à bicyclette. »

– « Voulez-vous que je lui parle, à lui, de la lettre anonyme, pour couper court d'avance à toute correspondance, si, par hasard, Neyrial concevait l'idée de maintenir le contact de cette manière-là ? »

– « Attendez que j'aie causé avec Renée, » dit Mme Favy. « S'il y a lieu, c'est moi qui mettrai Gilbert au courant. Il a tant de cœur ! Il n'aurait qu'à se reprocher ces promenades, et il est si visiblement tourmenté en ce moment, – pourquoi ? – si sombre de nouveau ! C'est ce qui me fait craindre des pertes au jeu, une dette peut-être qu'il hésite à m'avouer. Tenons-nous en à ce que je vous ai demandé d'abord : le sonder là-dessus. »

Le frère et la sœur passaient la porte à cette minute. L'expression de leur visage ne s'accordait que trop avec les craintes de la mère : Renée, pâle, les yeux battus, les prunelles si tristes ; Gilbert, le front barré d'un pli, tenant aux doigts une cigarette qu'il fumait fébrilement ; et tous deux, marchant comme dans un rêve, sans se parler.

– « Eh bien ? » dit Mme Favy, à Jaffeux tout bas, avec un geste de tête qui signifiait : « Me suis-je trompée ? »

– « Raison de plus, » fit-il sur le même ton, « pour ne pas attendre. Je vais causer avec Gilbert et vous montrerez la lettre à Renée, mais, je vous répète : tout de suite. » – Et, pour la contraindre à suivre ce sage conseil : – « Mademoiselle Renée, » dit-il à voix haute, « madame votre mère n'est pas raisonnable. Elle ne se sent pas très bien. Elle devrait être dans sa chambre, à se reposer. Ramenez-l'y donc… Et vous, Gilbert, voulez-vous que nous fassions un bout de causette, dans le jardin ? Il fait si beau… »

– Volontiers, » dit le jeune homme, qui suivit Jaffeux, en allumant une autre cigarette, la physionomie absente, et, à la fois, comme l'avait dit sa mère, si tourmentée.

Sortis du hall, les deux hommes firent quelques pas sans se parler. Jaffeux regardait son compagnon, hanté par une réminiscence, pour lui bien émouvante. Depuis ces quarante-huit heures, il avait trop pensé à Pierre-Stéphane. Mille détails, relatifs à ce malheureux, lui étaient redevenus présents, et, en particulier, ses entretiens avec Mme Beurtin, quand elle s'inquiétait de son fils et de la tentation du jeu, au cercle où il avait voulu entrer. Il l'entendait, par delà les années, prononcer les mêmes mots que Mme Favy tout à l'heure, à propos de la partie du Casino et de son fils : « Il est si entraînable ! » Même phrase, même étouffement dans la voix. Il n'était pas jusqu'à la similitude entre les maladies des deux mères, qui n'achevât de lui rendre plus pathétique cette identité de leurs angoisses. Gilbert et lui marchaient donc dans le jardin, devant le salon du rez-de-chaussée où se donnaient les leçons de danse. Le bruit d'un phonographe, qui jouait un air de boston, les fit se retourner. Ils purent voir, à travers la porte-fenêtre, Mlle Morange qui entraînait une autre jeune fille, toujours de ce pas allongé, souple, un peu hésitant, ralenti encore par le rythme monotone de l'instrument. C'était l'occasion pour Jaffeux d'engager la conversation avec celui qu'il avait promis de confesser et d'abord sur ses relations avec Pierre-Stéphane. Son expérience d'avocat, initié à tant de drames intimes, lui faisait considérer le danger couru par Renée, comme autrement redoutable pour elle que ne pouvait l'être pour le jeune homme une mauvaise passe au baccara. Jusqu'à quel point le « beau danseur », ainsi que l'appelait ironiquement la lettre anonyme, s'était-il servi de son intimité avec le frère, pour s'insinuer dans celle de la sœur ? Et il interrogeait, en désignant de la pointe de sa canne cette porte-fenêtre et le groupe mouvant des deux femmes :

– « Il me semble reconnaître la personne qui figurait avant-hier dans le numéro du Printemps ?... » Puis, sans attendre la réponse – « Le directeur m'a dit que le danseur est souffrant et qu'il a quitté l'hôtel. Il s'appelle Neyrial, n'est-ce pas ? » Il répéta – « Neyrial ! Neyrial ! Ce n'est pas un nom. Vous ne trouvez pas ?... »

– « Il l'a pris pour ne pas donner le vrai, » répliqua Gilbert, un peu étonné de cette insistance. « C'est tout naturel, s'il est d'une bonne famille... »

– « Je ne vous demande pas laquelle. C'est sans doute un secret qu'il vous a confié... »

– « C'est une simple hypothèse de ma part, » rectifia Gilbert, « d'après ses manières et ses idées. il ne m'a fait aucune confidence. »

– « Vous étiez pourtant très amis, m'a dit madame votre mère. »

Ce fut au tour de Jaffeux de s'étonner devant la vivacité avec laquelle le jeune homme répondit :

« Et j'espère bien que nous le resterons. C'est un des plus nobles cœurs que j'aie rencontrés, et si généreux, si délicat ! »

– « Votre mère et votre sœur m'ont dit également qu'il paraissait avoir une excellente éducation. Vous ne soupçonnez pas quels motifs lui ont fait choisir cette carrière, à tout le moins paradoxale, et qui n'en est pas une ?... »

– « J'ai cru comprendre qu'il était resté orphelin très jeune, et aussi que son père était mort ruiné. Il était adroit. Il aimait les sports. Il n'avait pas encore de métier. Celui-là s'est offert. Il l'a pris.

Comme il a eu raison !… » continua-t-il. Et, d'une voix où frémissait une révolte intime contre cette rigueur de la discipline paternelle, dont avait parlé Mme Favy : – « Nous en avons causé, de ce métier, et je conçois qu'il en soit charmé. Pensez donc ! Jamais de corvées officielles. L'hiver ici, dans un pays de soleil, l'été dans les Alpes. Aucun souci, aucun esclavage matériel. Tout le confort que les milliardaires viennent chercher dans les Palaces. Je vous disais qu'il aime le sport. Les danses d'aujourd'hui en sont un, et si original, si varié ! Leurs figures sont innombrables, et les professionnels, lui, par exemple, en inventent tous les jours. Et c'est la rencontre, sans cesse, de femmes nouvelles, plus élégantes les unes que les autres. Oh ! Neyrial est trop discret, je vous le disais aussi, trop chevaleresque pour raconter ses bonnes fortunes. Mais qu'il en ait eu, et de nombreuses, de délicieuses, j'en suis sûr, rien qu'à constater son prestige sur les voyageuses de cet hôtel. Toutes veulent danser avec lui. Calculez maintenant l'argent que lui rapportent ses leçons, les avantages que sa situation implique logé, blanchi, nourri, servi, ses frais de déplacement payés. Avouez-le cette position « paradoxale » est plus brillante et plus raisonnable que ne sera la mienne, quand, après m'être éreinté à passer des examens imbéciles, je serai chargé d'affaires dans le Honduras ou le Nicaragua. »

– « Savez-vous, mon cher Gilbert, que cette amitié ne me paraît pas avoir une très bonne influence sur vous ? » repartit Jaffeux. Et, à part lui : « Comme ce dangereux Pierre-Stéphane a eu l'art de s'emparer de lui ! Pour se rapprocher de la sœur, c'est trop évident. Et ce frère qui parle des bonnes fortunes de l'autre ! C'est trop évident aussi, qu'entre cet inconscient et un roué, la partie n'était pas égale. Ce naïf n'a rien deviné, rien soupçonné. Le questionner sur leurs promenades à trois est inutile. Tâtons-le sur le jeu, puisque la mère s'en tourmente. »

Et, tout haut, maintenant :

– « C'est trop naturel, d'ailleurs, que vous vous soyez beaucoup lié avec lui. Vous n'avez guère de distractions ici. J'ai vu pourtant l'affiche d'un casino. Vous y allez un peu ? »

Gilbert Favy lança sur le curieux un regard non plus

d'étonnement, mais de défiance, tandis qu'il répondait, avec une indifférence affectée :

– « Oui, de temps en temps. »

– « Et l'on y donne de bonnes pièces ? »

– « Je n'ai pas suivi les spectacles. »

– « Et la partie ?… Dans tous les casinos, il y a une partie de petits chevaux ou de baccara… surtout de baccara… »

La rougeur était montée au visage du jeune homme, et, la voix saccadée, les yeux dans les yeux de son interlocuteur, cette fois :

– « C'est maman, qui vous a demandé de me sonder, j'en suis sûr, de savoir si je joue ?… »

– « Eh bien, oui, » répondit nettement Jaffeux.

Son habitude des difficiles enquêtes auprès de plaideurs réticents, lui faisait deviner, à cet accent, et à cette physionomie, les indices d'une crise de sincérité.

– « Elle aurait bien pu me parler elle-même, » disait Gilbert. « Mais non. Les médecins veulent qu'on lui évite toutes les émotions, même les plus légères. J'aurais dû lui mentir, et je mens si mal. Elle aurait soupçonné le pire. À vous, monsieur Jaffeux, je puis dire ce que je ne lui dirais pas, ce qu'il ne faut pas qu'elle sache, à aucun prix, vous m'entendez. Oui, j'ai joué, et j'ai perdu. »

– « Beaucoup ? » demanda Jaffeux.

– « Pour moi, oui, beaucoup. Mais c'est réglé. J'ai trouvé le moyen, et, à la personne qui m'a aidé, j'ai donné ma parole d'honneur que je ne jouerais plus jamais. Je la tiendrai, cette parole. Voilà ce qu'il faut que vous disiez à maman : Que vous m'avez parlé du jeu et que je vous ai répondu que j'avais les cartes en horreur. » – Et, pour la troisième fois, secouant sa tête, un pli de dégoût aux lèvres, il répéta « En horreur »

Ces mots énigmatiques « La personne qui m'a aidé… », le joueur les avait prononcées avec la même émotion, la même voix attendrie que, tout à l'heure, la phrase sur Neyrial « Le plus noble cœur…, si généreux…, si délicat… » Cette identité d'intonation avait provoqué soudain chez l'observateur perspicace qu'était Jaffeux une première idée cette personne qui avait « aidé » le frère de Renée, si c'était Pierre-Stéphane, pour s'assurer un allié auprès de la jeune fille ? Une autre idée avait surgi, non moins quand Gilbert avait jeté cette exclamation « J'ai les cartes en horreur, » soudaine, une voix plus émue encore, où passait comme le frisson d'un remords. Par quel inconscient et immédiat dévidage de sa pensée, Jaffeux se rappela-t-il l'inspecteur lui disant, à propos de ce même Pierre-Stéphane : « J'ai eu l'impression qu'il se dévouait pour quelqu'un d'autre, et qu'il en était fier… » ? Une hypothèse venait de lui apparaître, qu'il rejeta aussitôt : Gilbert Favy perdant au jeu cette grosse somme d'argent, – il l'avouait, – et, pour s'acquitter, volant un bijou, cette barrette de Jady Ardrahan, comme jadis Pierre-Stéphane les volumes, – celui-ci l'apprenant, avançant l'argent au malheureux, se faisant donner le bijou volé, le restituant à la police, et s'accusant lui-même, pour couper court à toute recherche qui pût découvrir le coupable, – enfin, une de ces constructions imaginatives dressées dans l'esprit avec l'instantanéité d'une vision de rêve. Ce sont souvent les plus exactes. Elles ont la lucidité divinatrice de l'intuition.

« Quel roman vais-je inventer là ! » se dit l'avocat devant les illogismes apparents d'une pareille aventure. Et d'abord Gilbert, s'il avait volé, prenant pour confident de sa honte ce demi-inconnu qu'était pour lui le danseur mondain ! Et puis, cette personne qui l'avait aidé pouvait si bien être un de ces amis du colonel dont Renée a parlé… Et, à tout hasard, il insinua :

– « Je crois bien avoir deviné à qui vous avez emprunté cet argent. Ce quelqu'un qui vous l'a avancé en exigeant votre parole de ne plus recommencer, ce n'est pas un officier du Mont-des-Oiseaux ? »

– « Ne cherchez point, » répondit Gilbert. « Vous ne trouveriez pas. »

– « En tout cas, vous devez être à jamais reconnaissant à ce bienfaiteur, » reprit Jaffeux, en mettant sa vieille main sur l'épaule du jeune homme. « Pas seulement de cet argent prêté, mais surtout de cette parole demandée. Bien entendu, je ne raconterai à madame votre mère que la partie de notre conversation que vous m'autorisez à lui dire. Ce dont je suis content, plus que content, heureux, comme son ami et l'ami de votre admirable père, c'est de cet engagement d'honneur et aussi du sentiment que vous éprouvez pour le jeu. Que j'en ai vu, dans mon existence d'avocat, de destinées manquées à cause de cette fatale passion, qui finit par tout abolir dans la vie morale ! J'ai vu des fils de famille chassés d'un cercle pour avoir donné au caissier des chèques sans provision. J'ai vu des garçons d'un beau nom surpris en train de tricher à une table de baccara, d'autres forçant le tiroir de leur père pour aller au tripot et laissant accuser des domestiques, d'autres volant les bijoux de leur mère ou de leur sœur… Quelle pitié !… »

En prononçant ce réquisitoire contre la passion du jeu, le digne homme cédait à l'automatisme du mouvement oratoire, une des caractéristiques de son métier, et il n'observait plus avec une attention aussi aiguë le masque volontairement impassible de celui qui l'écoutait. S'il l'avait vu tressaillir, malgré lui, à ces simples mots, « volant des bijoux », le soupçon de tout à l'heure serait sans doute revenu, avec trop de raisons ! Il n'en retint, devant cette attitude de défiance, qu'une seule hypothèse :

« Comme il a été gêné, » songeait-il, – Gilbert Favy l'ayant quitté pour passer dans le hall, sous le prétexte d'une lettre à écrire, – « aussitôt que je l'ai questionné sur la personne qui l'a aidé ! Serait-ce vraiment Pierre-Stéphane ? Cette lettre anonyme, ne serait-ce pas Pierre-Stéphane encore qui l'a écrite, pour forcer la jeune fille à déclarer son sentiment à Mme Favy ? Tout cela se tient : cet argent prêté au frère pour qu'il plaide pour lui, auprès du père, pendant que cette pauvre petite Renée suppliera sa mère, qui est si faible… Bon ! Voilà que je construis un autre roman. Je suis ici. Pierre-Stéphane le sait et qu'une parole de moi le perdrait à jamais dans le cœur de cette enfant. Cette parole, il sait que je la dirais certainement dans un cas pareil. Donc il ne peut plus raisonner comme je viens de l'imaginer… Mais avant ? Que toute cette intrigue est donc obscure !… Attachons-nous aux petits faits positifs.

Voici le premier : cet absurde garçon paraît, pour le moment, guéri du jeu. Le second : Mme Favy et sa fille ont une explication décisive. S'il en sort que Renée s'est laissé prendre au machiavélisme de ce scélérat, – car décidément, c'est en un, – j'entre en scène. »

Tandis que l'avocat, toujours soupçonneux par profession, imaginait ainsi, derrière ce lâche anonymat d'une lettre sans signature, une ténébreuse et savante rouerie, la jeune fille qui en était la victime dénonçait, sans hésiter, la main qui avait « tapé » ces lignes perfides et le sentiment qui les inspirait. Quand, remontées dans leurs appartements, elle et sa mère, celle-ci lui eut tendu l'infâme papier :

– « C'est Mlle Morange, » dit-elle aussitôt. « Elle a depuis trois semaines une petite machine à écrire. Elle s'en sert pour les programmes des fêtes où elle doit danser. Je reconnais les caractères et sa maladresse. »

Ses doigts eurent, pour jeter la feuille et son enveloppe sur une table, le geste de dégoût qu'elle aurait eu vis-à-vis d'une bête visqueuse, et, avec un frémissant sourire de mépris :

– « C'est aussi stupide qu'ignoble. »

– « Mais pourquoi Mlle Morange aurait-elle quelque chose contre toi ? » demanda Mme Favy.

– « Parce que c'est une envieuse, maman. Il n'y a qu'à la regarder… »

– « Envieuse… ou jalouse ?… » – Et comme Renée rougissait et ne répondait pas – « Oui, » insista la mère, « jalouse à cause de M. Neyrial. Cette lettre le dit. Avoue que tu le penses… »

Nouveau silence, et Mme Favy continua :

– « Pour que cette jalousie existe, il faut que tu aies été plus familière avec cet homme que tu n'aurais dû. »

– « Vous avez assisté à toutes mes leçons de danse, maman,

vous avez vu… »

– « Je n'ai pas assisté à vos promenades à bicyclette. Ton frère était en tiers, c'est vrai… »

– « Maman, je vous assure que je ne me suis jamais comportée avec M. Neyrial, en votre absence, autrement que devant vous. »

La tendre enfant était toute blanche maintenant. Elle dut s'asseoir, tant cette conversation la bouleversait.

– « Alors, » insista la mère, « la lettre ment. Vous n'avez jamais eu, M. Neyrial et toi, de conversation en tête à tête, dans le jardin, comme elle t'en accuse ?… »

Renée eut un saisissement d'une seconde. Puis, relevant la tête, et d'un accent de décision :

– « Si, maman. J'ai eu avec M. Neyrial une conversation en tête à tête, une seule, ce matin. »

– « Vous vous étiez donné rendez-vous ? »

– « Non, maman. Vous vous rappelez que vous m'aviez vous-même conseillé de sortir et de prendre un peu d'air, parce que vous me trouviez une petite mine. J'ai rencontré M. Neyrial dans l'allée qui descend. Il m'a abordée. Était-il là dans l'idée de m'attendre ? Je ne le crois pas. C'est possible, mais je n'en sais rien. »

– « Vous avez causé longtemps ? »

– « Dix minutes. Mlle Morange nous aura vus. »

– « Et tu m'as caché ce tête-à-tête ! De quoi avez-vous donc parlé ? »

– « Je savais que vous me poseriez cette question, maman, et qu'il me serait pénible de vous répondre. »

– « Pourquoi, mon enfant ? »

– « Parce qu'il m'a parlé de mon frère. »

– « De ton frère ? »

– « Oui, maman, et ce qu'il m'a dit, je ne voulais vous le répéter que si je n'arrivais pas à préserver Gilbert toute seule. J'avais trop peur de vous inquiéter. Du moment que cette abominable lettre vous dénonce cela aussi, je veux parler… Ce qu'il m'a dit ? Que Gilbert avait joué au Casino, que je devais, s'il y retournait, essayer de l'accompagner et surtout insister auprès de lui pour qu'il ne touche plus une carte. Vous comprenez mon silence, à présent ? Mais je veux que vous sachiez encore que M. Neyrial, pour la première fois, m'a fait plus qu'une allusion, une confidence sur sa vie. « Si j'ai été réduit à prendre ce métier de danseur mondain, le jeu, » m'a-t-il avoué, « en est un peu la cause. On se corrige de ce vice, puisque je m'en suis corrigé. Il faut que votre frère s'en corrige. Aidez-le. » Je vous assure, maman, que vous auriez été touchée au cœur, comme moi, si vous l'aviez entendu. Il a une telle élévation dans la pensée, une telle finesse dans les sentiments. Ça doit lui être si dur de vivre sur un pied d'égalité avec des créatures comme cette Mlle Morange… » – Elle montrait de nouveau la lettre : – « Enfin, maman, j'espère qu'elle ne vous enverra plus de ces vilenies, puisque M. Neyrial s'en va. Nous nous sommes dit adieu. »

Sa voix s'étouffait pour prononcer cette dernière phrase. Mme Favy, assise auprès d'elle, lui prit les mains, et, tout bas elle-même :

– « Renée, » dit-elle, « est-ce que tu l'aimerais ?… »

– « Ah maman !… » fit la jeune fille, en laissant retomber sa tête sur l'épaule de sa mère. « Je n'en sais rien. Ne me demandez rien. J'ai trop mal, trop mal… »

Elle se mit à pleurer, tandis que la mère, bouleversée de ce qu'elle entrevoyait dans cette sensibilité pareille à la sienne, gémissait :

– « Ma pauvre petite ! Et moi qui n'ai pas vu venir tout ça ! Moi qui n'ai rien compris !… C'est seulement quand tu as été si triste, ces jours derniers, que je me suis dit : elle ne s'est pourtant pas laissé faire la cour par quelqu'un qu'elle ne peut pas épouser ? Car cet homme, tu ne peux pas l'épouser, et, d'abord, jamais, ton père… »

– « Je ne le sais que trop, » interrompit Renée, en se redressant et secouant sa tête. « Ce n'est pourtant pas juste. Dans le mariage, tel que je le rêve, c'est l'homme que l'on épouse, et non pas une position. Mais oui, je le sais que mon père ne consentirait jamais, et moi, je ne me marierai jamais contre sa volonté. Ah ! maman, que je suis malheureuse !… Mais qu'avez-vous ?… Qu'avez-vous ? »

Le visage de Mme Favy était subitement devenu d'une lividité cireuse, ses traits se décomposaient. Son souffle se faisait court. Ses doigts se glaçaient. Elle les dégagea de ceux de sa fille, pour les poser sur son sein gauche, et, se penchant en arrière :

– « Rien, c'est une petite crise. Laisse-moi m'étendre. »

Déjà Renée avait sonné, et, à la femme de chambre qui entrait :

– « Aidez-moi à mieux coucher Madame sur le canapé, » ordonnait-elle. « Vite un mouchoir, Jeanne, et le nitrite d'amyle. »

– « Pauvre Madame !… » disait la femme de chambre. Sa dextérité à prendre dans une boîte *ad hoc*, l'ampoule de verre et à la briser témoignait trop de la menace toujours suspendue sur la malade, et elle répétait, pendant que Renée faisait respirer à celle-ci le mouchoir imbibé du bienfaisant médicament :

– « Pauvre Madame, elle paraissait tellement mieux ! Elle n'a rien ici qui la contrarie. Elle mène une vie si tranquille. Je vais téléphoner pour le médecin… »

– « Non, » fit Mme Favy en esquissant un geste. « Ce n'était vraiment rien. Voilà que ça se passe. »

– « Ce sera le mistral d'hier », fit encore la femme de chambre. « Madame ne doit pas sortir avec celui d'aujourd'hui. »

Le vent qui grondait depuis le matin enveloppait en effet l'hôtel de son immense rumeur.

– « Oui, maman, » insistait Renée, « il faut que vous restiez étendue et enfermée. »

Et, la femme de chambre à peine sortie :

– « Pardon, maman ! C'est moi qui vous ai donné cette crise. Oh ! Pardon ! Pardon ! Quand Jeanne a dit : « Elle n'a rien qui la contrarie, » j'ai reçu un coup. J'aurais dû me taire, vous mentir… Je ne peux pas… »

– « Mais non, » répondit la mère, avec un sourire encore souffrant. « il m'est très doux de te sentir si vraie avec moi, si confiante… » – Puis, de nouveau assombrie :

– « Si seulement ton frère était comme toi… »

– « Pourquoi suis-je allée vous répéter cette phrase sur ses séances au Casino ? »

– « Ne te fais pas de reproche, mon enfant. Tu ne m'as rien appris. La preuve : j'ai prié M. Jaffeux de questionner Gilbert, d'essayer de savoir s'il avait joué ces derniers jours et perdu de l'argent. C'est très délicat. Mais Jaffeux est si fin. Il ne l'a emmené dans le jardin que pour ce motif. Il doit me rendre compte de leur conversation… Comme je voudrais qu'il fût déjà ici !… »

– « J'irais bien le chercher, maman. Mais ne vaut-il pas mieux attendre que vous soyez tout à fait remise ? »

– « Attendre ? » dit la malade, « toujours attendre !… Avec le pauvre cœur que j'ai, c'est cela qui m'use… »

– « Eh bien ! maman, je vais le chercher. »

– « Tu le trouveras certainement dans la partie du jardin qui touche à l'hôtel, » précisa Mme Favy. « Sachant que je veux lui parler, il doit m'attendre là, pour m'éviter de marcher. »

VII

– « Maman ne se sent pas très bien, » disait Renée à Jaffeux, quelques minutes plus tard. Elle l'avait presque aussitôt trouvé, en effet, à la place indiquée, et tous deux remontaient dans ce même ascenseur, où l'autre soir Pierre Stéphane se cachait pour fuir le témoin de sa lointaine faute. – « Vous allez lui parler de mon frère. Je le sais. Je vous en conjure, monsieur Jaffeux, ménagez-la… »

– « Je n'ai heureusement à lui rapporter de Gilbert que des propos qui lui feront le plus grand plaisir, et d'abord qu'il s'est engagé sur l'honneur à ne plus jamais toucher une carte… »

– « Vous avez obtenu de lui cette parole ? »

– « Moi, non, » répliqua-t-il, un peu gêné par cette question si directe.

– « Qui, alors ? » demanda-t-elle.

– « Il ne m'a nommé personne… » Et, saisissant, par un réflexe professionnel, cette occasion de contrôler l'autre accusation de la lettre anonyme : « Savez-vous qui je suis tenté de soupçonner ? C'est invraisemblable… M. Neyrial, le danseur… »

Renée ne répondit pas. Ce silence même, le frémissement de ses paupières, la contraction de son visage disaient assez quelle impression elle éprouvait à entendre ce nom. Mais déjà elle introduisait l'avocat dans la chambre de sa mère et se retirait discrètement dans la sienne, pour laisser toute liberté à leur entretien. Une espérance venait de la consoler dans sa détresse. Jaffeux rendrait témoignage à celui qu'elle aimait et d'un sentiment si trouble ! Ce sont, hélas ! les plus profonds. Elle savait trop bien, comme elle l'avait reconnu devant sa mère, qu'elle ne pouvait pas, qu'elle ne devait pas l'épouser. Elle n'était pas chez elle depuis dix minutes, quand la voix de l'avocat, l'appelant par la porte, la fit tressaillir. Il lui sembla y surprendre un accent d'émotion, comme de pitié. La malade subissait-elle une nouvelle crise ? Non. Mme Favy, – signe qu'au contraire elle se sentait mieux, – se tenait maintenant assise sur le canapé. Mais pourquoi cette pitié aussi dans ses yeux, comme dans le regard de Jaffeux, si impersonnel, si surveillé d'habitude ?

– « Ma chère Renée, » disait la mère, « j'ai tenu à ce que notre excellent ami, » – Que de reconnaissance dans cette appellation ! – « te répétât ce qu'il vient de m'apprendre. Il faut que tu saches d'abord que je lui ai montré la lettre anonyme. »

– « Oh maman, pourquoi ?… »

– « Mais c'est providentiel, mon enfant, que j'aie eu cette idée ! Avant d'avoir lu cette lettre, M. Jaffeux, par délicatesse, se faisait un scrupule de nous dire ce qu'il sait sur un misérable dont j'ai été la dupe, comme toi. Ce Neyrial, à qui nous nous sommes intéressés, que j'ai laissé ton frère traiter comme un ami, c'est un bandit… »

– « Un bandit ?… » balbutia Renée ; et, s'adressant à l'avocat – « Mais, tout à l'heure encore, vous l'estimiez, vous admettiez comme possible qu'il eût obtenu de mon frère cette promesse de ne plus jouer… »

– « C'était une petite épreuve, » dit Jaffeux, « pardonnez-la-moi. Je voulais me rendre compte du degré de votre sympathie pour ce misérable. Le mot que votre mère vient de lui appliquer n'est que trop exact. Jugez-en. »

Et, sans remords, maintenant, de son implacabilité envers le séducteur, dont il fallait à tout prix préserver la jeune fille, l'ancien patron de Pierre-Stéphane commença de raconter le vol de livres dont il avait été la victime, et la disparition de son secrétaire, puis comment il l'avait retrouvé l'avant-veille, et pourquoi il s'était tu. Le voleur pouvait être redevenu honnête homme. Il disait maintenant sa visite au commissariat, aussitôt averti de la disparition du bijou de lady Ardrahan, et l'aveu du danseur. Renée Favy écoutait ce discours, terrible pour elle, les yeux baissés, le visage immobile et comme figé, dans une attitude dont le calme contrastait étrangement avec sa nervosité d'auparavant. Quand l'accusateur eut fini, elle releva la tête, et, le fixant avec des yeux de désespoir, mais sans une larme :

– « C'est bien vrai, monsieur Jaffeux ? demanda-t-elle. « À votre tour, pardonnez-moi. C'est bien vrai ?… »

– « Mais, Renée !… » interjeta la mère.

– « Je ne suis pas offensé, » fit l'avocat. « C'est tout naturel que la fille d'une mère comme vous, madame, et d'un père comme le colonel Favy, élevée comme elle l'a été et vivant dans votre milieu, ne croie pas facilement à de certaines vilenies… »

Et, se tournant vers la jeune fille, il l'interpella, lui si volontiers cérémonieux, en des termes qui révélaient sa propre émotion devant le coup qu'il lui portait pour la guérir :

– « Oui, ma chère petite Renée, tout ce que je vous ai rapporté est strictement vrai. Je vous en donne ma parole d'honneur. »

– « Je vous crois, monsieur Jaffeux… »

Et elle sortit de la chambre.

– « Vous n'avez pas peur, madame ?… » interrogea l'avocat.

– « Qu'elle ne commette un acte de désespoir ? » dit la mère ; et, par allusion à sa propre déclaration de tout à l'heure : – « Elle aussi, elle a un courage de soldat. Elle sait souffrir. Toute petite, elle était déjà si énergique. Personne ne l'a jamais entendue se plaindre. En ce moment même, j'en suis sûre, elle ne se plaint pas. Elle est assise. Elle endure, comme son père, quand il a été blessé en Champagne et que le chirurgien lui demandait en le charcutant : « Je vous fais mal, mon colonel ?… » – « Très mal, » répondait mon mari, « mais se battre contre la douleur, c'est encore se battre, c'est mon métier. »

– « Allez tout de même auprès d'elle, madame, » dit Jaffeux.

– « Et mon fils ? » répondit Mme Favy. « D'après votre conversation avec lui, vous admettez comme possible que cet abominable Neyrial lui ait prêté de l'argent pour payer une dette de jeu. Il faut le savoir, et, si c'est exact, que cet argent soit rendu tout de suite. »

– « Laissez-moi me charger encore de ça, madame. Une explication entre Gilbert et vous, à cette minute, et dans l'état où vous êtes, vous ne la supporteriez pas. Vous auriez une nouvelle crise. Ce qu'il faut, c'est vous soigner. Pour votre fille, d'abord… » – Et, désignant de la main la chambre de Renée – « Allez auprès d'elle, je vous le répète… Quant à l'autre chose, fiez-vous à moi. »

Mme Favy s'était levée et marchait vers la porte. Elle s'arrêta pour demander :

– « Cette promesse de ne plus jouer, vous ne pensez pas que ce soit à cet homme que Gilbert l'ait faite ? Ce serait trop contradictoire avec tout le reste. »

– « Plus les incidents se multiplient, » dit Jaffeux, « plus je pense que Pierre-Stéphane Beurtin est devenu un redoutable roué et que nous nous trouvons en présence de la plus calculée des intrigues. Il a parfaitement vu, soyez-en assurée, que Renée est très naïve et qu'il lui troublait le cœur. S'est-il simplement amusé de la passion qu'il voyait naître dans cette enfant ? A-t-il rêvé de la séduire ?… »

Et, sur un geste de révolte de la mère :

– « Pardon, madame. Mais le courage, c'est aussi de voir les choses telles qu'elles sont. Pour moi, ce brigand s'est imaginé, la sachant riche, – il a dû prendre des renseignements, – qu'il arriverait à l'épouser, s'il lui tournait tout à fait la tête, peut-être en l'enlevant. La sympathie du frère lui était nécessaire. D'où ce prêt d'argent, d'où cette promesse de ne plus jouer arrachée au remords de ce pauvre garçon, de quoi se donner auprès de vous figure d'honnête homme et de sage conseiller. Votre déconcertement devant cette action prouve que ce calcul n'était pas si faux. »

– « Mais que d'horreurs ! » s'écria Mme Favy. « Comme je bénis Dieu que vous soyez venu dans cet hôtel ! Je frémis à la pensée de ce qui pouvait arriver. »

– « Allez, madame, allez, » insista Jaffeux, et, comme il ouvrait la porte de Renée, d'un geste qui prolongeait sa parole, il put la voir, les yeux fixes, immobile, toujours sans une larme sur les joues, ainsi que la mère l'avait annoncé.

« C'est vrai qu'elle sait souffrir, » se disait-il lui-même en s'éloignant, tandis que Mme Favy marchait vers sa fille qui continuait à ne pas se retourner. « Elle endure, comme son père, et moi, j'aurai été le chirurgien. Au tour du frère, à présent. L'opération sera moins sanglante, mais plus délicate. Que s'est-il passé réellement avec Pierre-Stéphane ? C'est cette affaire du prêt d'argent qu'il faut tirer au clair. Ce n'est pas facile. Il a quelque chose en lui de si défiant, et d'abord pas de regard, comme les gens qui se sont trop défendus intérieurement contre leur entourage. » Le souvenir du colonel lui revenait à la pensée, et le mot rapporté tout à l'heure par sa femme : « Si c'est le métier d'un soldat de se battre, » se disait-il encore, « le métier d'avocat, c'est de faire causer ceux qui veulent se taire. J'aurai votre secret, monsieur Gilbert Favy… »

Le jeune homme était à une des tables du hall, comme il l'avait dit, en train de libeller l'adresse d'une lettre. Il se leva pour aller au bureau acheter un timbre. Jaffeux le suivit.

– « Eh bien ! » commença-t-il, « j'ai parlé à madame votre mère. Elle est rassurée. Mais, moi, j'ai notre conversation sur le cœur. »

– « Que voulez-vous dire ? »

– « Que je vous ai laissé faire l'éloge de M. Neyrial, le danseur, sans protester, et que j'ai eu tort. »

– « Et pourquoi ? » interrogea Gilbert, avec cette demi-ironie, si insolente dans son apparente déférence, des jeunes gens vis-à-vis des aînés qu'ils trouvent « vieux jeu ». « Parce que je vous ai avoué que je lui enviais son métier ?… »

– « Non, j'admets très bien que la destinée amène quelqu'un à devenir danseur mondain dans un hôtel et qu'il reste un très honnête homme ? »

– « Alors, M. Neyrial n'est pas un honnête homme ? »

– « Non, » dit Jaffeux, « et ce que je me reproche, c'est de ne pas vous avoir averti tout de suite, par une pitié pour lui, que je ne peux plus avoir… Vous allez comprendre… »

Tandis qu'il répétait, presque mot pour mot, le récit de ses anciens rapports avec son secrétaire, fait une demi-heure plus tôt devant la pauvre Renée Favy, la physionomie de son auditeur révélait d'une façon saisissante la différence de sensibilité entre le frère et la sœur. La compression paternelle avait créé en elle une de ces exaltées silencieuses qui se réfugient dans le rêve, mais rien n'était touché dans cette âme des principes inculqués par cette compression même. D'apprendre l'infamie de celui qu'elle aimait ou croyait aimer, lui avait été un écroulement moral autant que sentimental. Pour Gilbert, – ses propos sur les bonnes fortunes du danseur l'avaient prouvé à Jaffeux, – s'évader de l'atmosphère familiale, ç'avait été déjà se corrompre. Ce passé de Neyrial l'étonnait, sans l'indigner. Il en écoutait le détail avec un intérêt qui se manifesta, quand l'avocat conclut, n'ayant encore parlé que du premier vol : « Voilà pourquoi vous l'avez vu, dès mon arrivée, quitter l'hôtel… » par une question singulière :

– « Aviez-vous jamais eu à vous plaindre de lui, avant ? »

– « Jamais. »

– « Voyons, monsieur Jaffeux, n'estimez-vous pas que l'on peut redevenir un très honnête homme, après une première faute, commise dans une heure d'aberration ? »

– « Oui. Mais il ne faut pas recommencer, et Pierre-Stéphane a recommencé, pas plus tard que cette semaine, et ici même. Il a volé, dans la chambre d'une dame anglaise, une barrette d'émeraudes et de diamants, oubliée sur la table à toilette. Il se savait soupçonné. Il a rapporté lui-même le bijou au commissaire, qui lui a fait avouer… »

– « Qu'il était l'auteur du vol ? » interrogea Gilbert d'une voix frémissante.

– « Parfaitement. Il n'y avait pas de plainte officielle. Ce commissaire a cru ne pas devoir donner suite à l'affaire. Pour moi, cet aveu et cette restitution ne rachètent rien. Il a eu peur de mon témoignage sur son premier vol, tout simplement… »

Ce tressaillement du jeune homme, le geste de stupeur et de protestation qu'il n'avait pu retenir, le flot de sang dont s'empourpraient ses joues, tout dans son attitude à cette minute, aurait dû, semble-t-il, rappeler à Jaffeux cette hypothèse du policier qui, une fois déjà, lui avait traversé l'esprit. Mais non. L'avocat portait maintenant dans sa tête un système dont tous les détails se liaient si clairement l'aventurier projetant de conquérir la jeune fille et sa fortune, en s'assurant l'appui du frère, premier groupe de faits. Second groupe le vol du bijou et la restitution provoquée par la terreur de sa présence, à lui, Jaffeux. L'automatisme professionnel marque à la fois la puissance et la limite de nos facultés. Habitué dans ses plaidoiries à dégager les données logiques d'un procès, et à s'y tenir, il ne chercha pas au trouble de son interlocuteur une autre cause que celle qui s'insérait très naturellement dans la trame de ses déductions. Comment s'étonner que Gilbert, si léger fût-il, éprouvât un sursaut de révolte à l'idée d'être l'obligé d'un escroc ? Et, poussant sa pointe de ce côté, Jaffeux continuait :

– « Vous n'avez pas voulu me nommer tout à l'heure la personne qui vous a secouru après votre perte au jeu. Si, par hasard, c'était M. Neyrial, le fils du colonel Favy ne peut pas devoir de l'argent à un voleur. Voilà pourquoi je me suis considéré, par respect pour votre père, comme engagé d'honneur à vous renseigner sur un personnage, qui n'a malheureusement pas dupé que vous. Ai-je besoin d'ajouter que je suis à votre disposition pour vous avancer l'argent nécessaire au remboursement de cette dette ?… »

Puis, comme il voyait le jeune homme de plus en plus ému, il lui prit la main, et, paternel :

– « Allons, mon enfant, combien lui devez-vous ? »

– « Mille cinquante francs, » dit brusquement Gilbert, de cette voix passionnée qui sort du fond le plus intime de l'être. « Monsieur

Jaffeux, cet aveu que je pourrais vous refuser, je vous le fais pour avoir le droit de vous parler de Neyrial, comme tout à l'heure, de la générosité, de la délicatesse. Il me voit dans la détresse, dans l'agonie. Car j'étais dans l'agonie. Il me sauve, et comment !…

Il s'arrête une seconde, et, rougissant de nouveau :

– « Est-ce d'un homme de cœur, cette charité-là, oui ou non ? Car enfin il n'avait aucun intérêt à me sauver… »

– « Aucun intérêt ? » répliqua Jaffeux. Mais celui d'avoir un allié dans la cour qu'il fait à votre sœur… »

– « À ma sœur ? Lui ? Qui vous a dit cela ? »

– « Madame votre mère. Elle a été avertie par une lettre anonyme qu'elle a montrée à Renée, et celle-ci a dû reconnaître…

– « Qu'elle se laissait faire la cour ? »

– « Qu'elle s'intéressait à lui plus que de raison. »

– « Et maman ? »

– « Elle a été si remuée qu'elle a eu une demi-syncope. Rassurez-vous. La crise est passée. Comprenez-vous, maintenant, le manège de cet homme de cœur ? Sachant que vous êtes unis, vous et Renée, qu'est-ce qu'il a voulu ? Tout simplement vous faire plaider sa cause auprès d'elle, et vous rendre son complice, à votre insu, dans son entreprise de séduction ? Je sais. Vous allez me répondre : « On ne séduit pas une Renée Favy. Elle a trop d'honneur. » Aussi, l'avisé coquin n'a-t-il pas cru une seconde qu'il pouvait devenir son amant. Mais plus une jeune fille est pure, plus elle caresse le rêve d'un mariage d'amour, surtout quand elle croit réparer une injustice du sort. Se faire aimer pour amener la pauvre enfant à ce rêve-là, tel a été son plan. Vous me direz encore : « Mais ce mariage avec un danseur d'hôtel, c'est fou, jamais mon père n'y donnera son consentement. » Ce garçon ne connaît pas votre père. Il a le droit de penser qu'une fois de plus le cas qui s'est produit des centaines de fois se reproduira : la volonté passionnée d'une jeune fille faisant

77/126

céder les parents. D'ailleurs qu'un calcul soit insensé, ce n'est pas une raison pour qu'un aventurier comme lui, et déclassé, ne le fasse pas. Il a fait ce calcul, et il vous a mis dedans. C'est le cas d'employer cette expression, – dans les deux sens. Mais tout cela, c'est du passé. Il est parti. Votre mère et votre sœur sont éclairées sur son compte. Il ne faut qu'il ait l'idée de se rapprocher d'elles par vous. Tenez, asseyez-vous à cette table… »

Et, tirant son portefeuille de sa poche, puis, de ce portefeuille des billets de banque :

– « Un mot sur votre carte, simplement. Mettez-la dans une de ces enveloppes de l'hôtel avec ces billets. C'est moi qui vais libeller l'adresse. Je la sais par le directeur. »

Et, penché sur la table à son tour, la plume à la main :

– « Beurtin connaît mon écriture. Il comprendra. Fermez l'enveloppe. Il faut la mettre à la poste en la recommandant et déclarant la somme pour qu'il ne puisse pas nier qu'il a été payé. »

– « Je vais à la ville, » dit Gilbert Favy, « et dans une heure…

Il avait fait un pas, l'enveloppe à la main, et, se retournant tout d'un coup :

– « Monsieur Jaffeux… » dit-il.

Distinctement des mots lui venaient aux lèvres, – lesquels et découvrant quel mystère ? – Il ne les prononça pas, et se reprenant, après cette énigmatique interruption :

– « Alors Renée a vraiment avoué qu'elle l'aimait ? »

– « Elle l'a avoué. »

– « À ma mère. Mais à lui, à Neyrial ? »

– « Je n'en sais rien, » dit Jaffeux, mais qu'il l'ait deviné, j'en suis trop sûr. Il m'avait suffi, à moi, de la voir le regarder dans ce thé-dansant, pour m'en convaincre. C'est pour vous empêcher, vous, Gilbert, de vous en apercevoir, qu'il vous a joué cette comédie d'amitié. Vous avez été sa dupe. »

– « Je ne la suis plus, » fit le jeune homme en montrant la lettre. « Voilà qui va le lui prouver, et merci, monsieur Jaffeux, merci… »

« Tous deux sont mis en garde, à présent, » se disait Jaffeux, quelques minutes plus tard, en le regardant, de la terrasse, marcher d'une allure rapide dans l'allée du jardin qui menait à la sortie. « Comme disent les marins : « À Dieu vat ! » L'inspecteur a eu tort tout de même de ne pas faire arrêter ce brigand de Pierre-Stéphane, puisqu'il y avait eu vol. Moi aussi, j'ai eu tort, autrefois. Je me suis tant reproché d'avoir été trop dur pour lui. Avec ces natures perverses, on ne l'est jamais assez. » Et, continuant de suivre des yeux Gilbert, arrivé maintenant au portail : « Que celui-ci est influençable ! Je l'ai retourné si vite. Cependant, il hésitait encore tout à l'heure. Pourvu qu'il ne rencontre pas l'autre avant d'avoir envoyé sa lettre ? Non. Dès qu'il a été question de sa sœur, comme il a vibré ! La famille, voilà le point de force dans cette vieille bourgeoisie française. Les Beurtin en étaient pourtant. Ah ! comment ce Pierre-Stéphane a-t-il pu descendre si bas, avec cette mère incomparable ? Et quel roué ! Avoir demandé à sa dupe sa parole d'honneur de ne plus jouer ! J'entends d'ici ce pauvre Gilbert parler à Renée de son bienfaiteur, comme à moi… Enfin, justice est faite. Il n'était que temps. »

VIII

Le digne homme eût été moins rassuré, s'il avait pu, à cette distance et malgré les massifs des arbres, accompagner plus loin des yeux celui qu'il croyait en route vers le bureau de poste d'Hyères. Gilbert avait à peine fait deux cents mètres de ce côté qu'il s'arrêtait brusquement pour partir et d'un pas décidé, dans la direction contraire. Encore un quart d'heure et il s'engageait dans cette fraîche et solitaire vallée du Gapeau, qui porte, à cet endroit, le joli nom de Sauvebonne. Son aspect révélait assez qu'il n'était pas là pour admirer les arbres en fleurs partout épanouis autour de lui, les vignes et leur jeune feuillage, la claire eau courante, les chênes-liège, avec le contraste entre la rugueuse écorce grise de leurs troncs intacts et la nuance brune des parties dépouillées et lisses. Cet enchantement du paysage n'existait plus pour lui. Il ne le percevait pas. La tentative de séduction exercée sur sa sœur et que Jaffeux venait de lui révéler, ne justifiait pas seule l'agonie qu'il fuyait en marchant ainsi et une phrase se répétait en lui : « Si c'est vrai qu'il ait courtisé Renée en me jouant cette comédie, quelle ignoble hypocrisie !… Mais si ce n'est pas vrai, quelle honte de n'avoir pas parlé, de n'avoir pas dit à Jaffeux le voleur du bijou, c'est moi ! » Et des images surgissaient, posant devant lui un dilemme d'autant plus douloureux que, ces jours derniers, les témoignages d'amitié reçus de Neyrial avaient été son seul réconfort dans une crise, devinée par Jaffeux, l'éclair d'une seconde, on se rappelle. Tout de suite : « Quel roman vais-je inventer là ? » s'était-il dit, et ce roman était la vérité. Le simple inspecteur de police y avait vu plus juste que le célèbre avocat. On se rappelle également son mot sur le danseur confessant son prétendu vol : « Il se dévoue pour quelqu'un, et il en est fier. » Son intuition avait pressenti là un drame dont toutes les scènes ressuscitaient dans la mémoire angoissée de Gilbert, la dernière y comprise qu'il venait seulement d'apprendre.

Il avait, jusqu'à cet entretien avec Jaffeux, donné à celles qu'il connaissait un sens qu'elles n'avaient plus maintenant, si les rapports du danseur et de sa naïve élève avaient été ceux que dénonçait l'avocat, et si cet obscur Neyrial avait formé le sinistre projet de se servir de lui, le frère, comme d'un instrument pour cette mainmise sur une héritière :

« Alors, c'est un chantage qu'il voulait pratiquer sur moi, » se répétait-il, « un hideux chantage ! Voilà ce que c'est que d'avoir fait l'horrible chose que j'ai faite ! »

Il se revoyait, cinq jours auparavant, assis à la table de baccara, au Casino, et gagnant d'abord, puis perdant. Cette dette, avouée à Jaffeux, mais en se taisant de la suite, il l'avait contractée dans cette ivresse de la déveine, qui paralyse momentanément toute prévision chez le joueur. Un de ses voisins de partie lui avait dit à voix basse, en lui montrant un des employés : « Si vous avez besoin d'argent, cet homme vous en prêtera, pas sans intérêts. Mais, dame !… » Et Gilbert n'avait pas résisté à la tentation. Il avait emprunté à l'usurier clandestin cette somme de mille francs, considérable pour son budget d'étudiant sévèrement tenu par son père. Il les jouait, ces mille francs. Il les perdait… Comment les rendre ? Écrire à son père ? Cette seule idée le terrorisait. Les demander à sa mère ? C'était risquer une de ces émotions que les médecins redoutaient tant pour la cardiaque. Une fois déjà, il avait eu recours à la bourse de Neyrial, mais pour un chiffre infime. Sur le moment, il avait eu honte de recommencer. Que faire cependant ? Il s'était engagé, par un papier signé, à s'acquitter dans la semaine. Qu'arriverait-il ? s'il défaillait et que le prêteur s'adressât au colonel ou à Mme Favy ? Torturé par cette anxiété, il lui était arrivé, passant à l'hôtel devant une chambre du premier étage, de voir la porte entrouverte, et, sur une table, une broche laissée là, dans la hâte d'un changement de toilette, par une femme si pressée qu'elle n'avait ni fermé cette porte, ni éteint l'électricité. L'éclat vert d'une émeraude avait saisi l'œil du jeune homme, et, dans un *raptus* presque inconscient, il était entré, il avait pris le bijou et il s'était sauvé…

Quarante-huit heures s'étaient passées, durant lesquelles le malheureux avait subi ce total désarroi de l'être intérieur qui suit l'accomplissement d'une action inavouable et radicalement contraire au type général de notre vie. Le fils du colonel avait pu lutter secrètement contre les étroitesses des règles imposées par son père et systématiser sa révolte en des paradoxes comme celui qui lui faisait préférer le sort d'un Neyrial, simple danseur mondain dans un palace, mais libre, mais aventureux, à l'esclavage social d'un grand fonctionnaire. Ces théories n'empêchaient pas qu'en réalité, – par ses mœurs, par ses réactions inconscientes, par son besoin, quand il pensait à sa propre personne, de se façonner une image de lui-même que les autres dussent estimer, – il restait, Jaffeux l'avait bien vu, un petit bourgeois français. Cette très belle espèce sociale, si injustement décriée, a, pour vertu maîtresse, l'honneur le plus scrupuleux dans les affaires d'argent. D'avoir, pour la première fois, manqué gravement à cet honneur, stupéfiait Gilbert Favy. À la lettre, il ne se reconnaissait pas. C'était si simple pourtant, de le réparer, cet acte ! La propriétaire de la barrette pouvait croire qu'elle l'avait mal attachée à son corsage, puis perdue dans un couloir. Il pouvait, lui, la rapporter au bureau de l'hôtel, en disant l'avoir trouvée. Cette idée, d'une exécution si facile, l'avait assailli, non pas une fois, mais vingt, mais trente, durant les heures qui avaient suivi, et, chaque fois, une image avait surgi pour l'arrêter, celle de la table de baccara, qu'une hallucination tentatrice lui montrait étalée devant lui, avec les jetons poussés et retirés, avec les cartes allant et venant de la main du banquier à celles des pontes. Qu'il vendît ce bijou, qui valait beaucoup plus de mille francs, il tenait de quoi régler sa dette et tenter de nouveau sa chance.

Poussé par cette autre idée, il s'était, à plusieurs reprises, arrêté devant les diverses boutiques des bijoutiers d'Hyères, étudiant, à travers les vitres, la physionomie du marchand, et il avait reculé devant l'idée de l'interrogatoire à subir « Votre nom, monsieur ? Votre adresse ? » S'il répondait en mentant, le hasard d'une rencontre pouvait ensuite le perdre. Mais il n'y avait pas qu'Hyères. Il y avait Toulon Il y avait Marseille. Il avait pris le train, un après-midi, pour aller dans la première de ces deux villes. Là il était entré chez un joaillier, soi-disant pour faire estimer la broche. Le chiffre dérisoire, aussitôt indiqué par cet homme, l'avait déconcerté, et, plus encore, l'impression d'une complicité sinistre, à lire distinctement, dans ces yeux fixés sur lui, cette pensée : « C'est un objet volé. Je l'aurai presque pour rien. » Il s'était retiré en rougissant, sur ces mots qui contredisaient son premier prétexte : « Je vous remercie. Je reviendrai », avec l'épouvante de se voir accompagné jusqu'au trottoir par le marchand qui insistait, en tendant la main pour reprendre sa proie :

– « Je n'ai pas assez examiné l'émeraude, monsieur. J'irais peut-être jusqu'à sept ou huit cents… »

– « Mais je n'ai pas l'intention de vendre ce bijou », avait répondu Gilbert en s'éloignant hâtivement, et il se retournait à chaque coin de rue, comme un voleur qu'il était, par un geste instinctif qui lui faisait sentir davantage sa culpabilité.

« Oui », s'était-il dit en rentrant, « il faut m'en débarrasser, de cette broche, la remettre où je l'ai prise ou plutôt la jeter. Pour l'argent, j'essaierai encore auprès de Neyrial. Il m'en a déjà prêté une fois que je lui ai rendu. Alors… »

On se souvient du refus opposé par le danseur à cette seconde démarche. Que devenir ? La possibilité d'un voyage à Marseille, avec un résultat plus heureux, s'était de nouveau offerte à cette imagination affolée, et de nouveau la sagesse d'une restitution. Il était même venu, à l'heure où le thé-dansant vidait les couloirs de l'hôtel, presque à la porte de lady Ardrahan, le cœur battant, les jambes flageolantes, et quand Neyrial, sorti de l'ascenseur, était entré par erreur dans une chambre autre que la sienne, c'était bien le frère de Renée qu'il avait vu s'enfuir, terrorisé et se disant : « Non, c'est trop dangereux… »

Tous ces souvenirs tourbillonnaient dans l'esprit de Gilbert Favy, tandis qu'il marchait droit devant lui, sous le soleil, et que le mistral continuait de déchaîner une tempête dans la vallée. L'orage de son propre cœur ne lui permettait pas de la sentir. Des conséquences de ce vol, il n'avait plus rien à craindre maintenant. La restitution faite, et il le savait par un double témoignage, ce vol même était effacé. Une anxiété pire le suppliciait. Cette enveloppe qu'il avait là dans son portefeuille, avec l'adresse révélatrice, écrite de la main de Jaffeux, allait-il l'envoyer à Neyrial, et régler ainsi brutalement, injurieusement, une dette contractée dans des conditions qui l'avaient, sur le moment, ému d'une telle reconnaissance ? Et il ne les savait pas toutes ! Il le revivait aussi par la pensée, ce moment-là, où il avait vu Pierre-Stéphane Beurtin, – mentalement il l'appelait par son vrai nom maintenant, – entrer dans sa chambre, la veille, au matin. Comme c'était près ! Et tout de suite :

– « Je viens vous dire adieu. Je quitte le *Mèdes-Palace*. »

– « Mais pourquoi ? »

– « Je suis un peu fatigué. C'est très dur, notre métier, vous savez. La saison touche à sa fin. Je vais me reposer à Costebelle pour quelques jours. Seulement, je pars sur une impression bien triste… »

– « Laquelle ? »

– « Un bijou a été volé, cette merveilleuse barrette que lady Ardrahan portait à son corsage. Vous avez dansé avec elle. Vous vous rappelez la belle émeraude ? »

– « Oui, » avait dit Gilbert, qui se sentait tout entier couvert d'une sueur froide.

– « Cette barrette a disparu, » avait continué Pierre-Stéphane. « Et quand je suis venu annoncer mon départ au directeur, il ne m'a pas caché qu'il me soupçonnait. « Fouillez-moi, » lui ai-je offert, « fouillez mes malles. » Il m'a épargné cet outrage. C'est dur tout de même de s'en aller dans ces conditions-là. Mais, qu'avez-vous… ? »

– « Rien, » avait répondu Gilbert.

– « Si, mon petit, » avait repris Pierre-Stéphane, en mettant dans ce mot d'aîné une tendresse inaccoutumée. « Vous ne pouvez pas supporter que je sois soupçonné de cette action et je sais pourquoi. »

– « Eh bien ! oui… » avait interrompu Gilbert, « c'est moi qui ai pris le bijou, et c est vrai que je ne supporterai pas que vous soyez accusé. Je vais le remettre au directeur et tout lui dire. »

– « Et votre maman ? Malade comme elle est, vous lui porteriez ce coup ? Et voulez-vous que je vous dise comment j'ai deviné, quand le directeur m'eut parlé du bijou, que c'était vous qui l'aviez pris et toute votre histoire ? C'est la mienne. Vous l'auriez sue aujourd'hui, par M. Jaffeux qui est à l'hôtel et que vous connaissez. J'étais son secrétaire.

J'ai joué comme vous, emprunté de l'argent à un caissier de

mon cercle, comme vous à quelque employé du Casino, pour rejouer et perdre encore. M. Jaffeux avait dans sa bibliothèque des livres de valeur. Je les ai pris, comme vous la barrette dans la chambre de lady Ardrahan. Seulement, des livres, c'est facile à vendre. Un bijou, non. Vous l'avez encore. Vous venez de me le dire. En rapprochant ces faits les uns des autres : la disparition de la barrette, vos confidences, la fièvre dont je vous voyais rongé, j'ai eu l'évidence. Je me retrouvais et tout le drame qui a dominé ma vie. J'ai pensé : je vais savoir s'il est vraiment comme j'étais, s'il vaut mieux que son acte. Je lui dirai que l'on me soupçonne et de quoi. S'il est un misérable et qu'il n'ait rien dans le cœur, ça lui sera égal. Et dans ce cas… S'il a du cœur, il sera bouleversé, comme vous l'êtes, mon pauvre ami, et alors, je l'aiderai, comme j'aurais voulu qu'on m'aidât. Je le sauverai… »

Gilbert sentait encore l'étreinte de ces mains si miraculeusement, si humainement pitoyables. Il entendait cette voix fraternelle insister :

– « Et maintenant, soyons pratiques. La première chose, c'est que votre mère ignore tout. Vous avez pris le bijou pour régler une dette. Vous allez me la dire. Cette fois, je vous prête la somme. Vous me la rendrez comme vous pourrez. Quant au bijou, il ne suffit pas de le rendre. À tout prix, il faut que vous ne soyez pas soupçonné… Donnez-le moi, c'est encore le mieux. J'irai chez le commissaire. Je lui dirai que j'accomplis une mission dont j'ai été chargé, tout bonnement. Il restituera lui-même la broche au directeur. Celui-ci et lady Ardrahan seront trop contents, et du diable s'ils s'avisent de penser à vous !… »

Et, vingt-quatre heures après, le temps sans doute de trouver le commissaire seul à son bureau, un billet arrivait à Gilbert : « Tout est réglé. Soyez bien tranquille et rappelez-vous votre promesse. » Cette promesse, c'était l'engagement d'honneur de ne plus toucher à une carte, que le jeune homme avait rapporté à Jaffeux. Il avait donné cette parole dans un tel élan ! Si, à la réception de ce billet, il eût compris que ces mots : « Tout est réglé, » signifiaient : « Je me suis dénoncé comme le coupable, » quelles larmes de gratitude il aurait versées !… Et maintenant, qu'entrevoyait-il derrière ce geste de son sauveur, comme derrière son aide pécuniaire et ses protestations de pitié ? Une manœuvre scélérate, un gage pris sur lui, pour le contraindre, à quoi ?… Était-il possible que cette magnanimité cachât ce ténébreux projet de séduction, dénoncé par Jaffeux, et que l'aveu de Renée rendait trop évident ? Et d'autres images ressuscitaient. Gilbert se voyait, pédalant avec sa sœur et celui qu'elle appelait « Monsieur Neyrial » avec un accent qu'il se rappelait, si caressant ! Ils couraient ainsi, sur toutes les routes des environs, sur celle-là même où il marchait à présent. Sans cesse, il lui arrivait de devancer Renée et le danseur. Que se disaient-ils, en le suivant ainsi, dans un véritable tête-à-tête ? Le visage de la jeune fille s'évoquait, rayonnant d'un éclat qu'il attribuait alors à la joie de vivre, au gai soleil du Midi, au libre exercice dans ce beau climat. La vraie signification de ce sourire heureux, de ce regard ému, il la percevait par une de ces intuitions rétrospectives qui font soudain certitude.

« Et moi qui n'ai pas compris ! » se disait-il, comme sa mère, « Jaffeux a raison, toutes ces gentillesses pour moi, et cette dernière surtout, qu'il se réservait de m'apprendre au moment opportun, c'était pour me tenir, pour que je plaide sa cause auprès de nos parents… Mais quelle cause ?… Une demande en mariage ? C'est fou. Je lui ai trop parlé de mon père pour qu'il puisse seulement concevoir une pareille idée… Un enlèvement et le pardon ensuite ? Oui, c'est cela… »

Il y avait bien une autre hypothèse : que sa sœur fût la maîtresse de Neyrial. Cette hypothèse, Gilbert ne consentait pas à se la formuler. Mais elle était en lui, malgré lui. D'autres images encore l'obsédaient : le professeur et son élève dansant ensemble et ce souple corps de jeune fille serré contre ce corps de jeune homme, dans une de ces poses, si aisément lascives, d'un fox-trott ou d'un shimmy. Cet enlacement soulevait dans le frère une fureur contre l'aventurier, dont l'attitude, vis-à-vis de Renée et de lui-même, lui apparaissait de plus en plus comme si préméditée, si obscure, si redoutable L'avant-veille, il l'embrassait avec des « mercis » répétés, comme son bienfaiteur. Une haine l'envahissait à présent, que ce subit retournement rendait plus violente. Il avait pu, au sortir de l'hôtel, hésiter devant l'envoi de l'insultante enveloppe et se dire : « Si ce n'est pas vrai, quelle honte pour moi de n'avoir pas parlé ! » Il l'éprouvait bien toujours, cette honte du silence, mais elle ne faisait qu'exaspérer sa rancune ; et voici que, passant dans un village, au cours de cette randonnée douloureuse, la vue d'un bureau de poste déclencha soudain en lui le mouvement qui, à cette minute, traduisait en acte ce spasme de colère. Fébrilement, il la tire de sa poche, cette enveloppe. Il la palpe avec un frémissement de joie cruelle à sentir sous la minceur du papier la carte de visite et les billets de banque. Il la jette dans la boîte aux lettres, en se disant, cette fois à voix haute :

– « Il comprendra, lui, et s'il me demande une explication, maintenant que nous sommes quittes, il l'aura. »

Comme on voit, la machiavélique rouerie du danseur ne faisait plus doute dans son esprit. Cette certitude fut encore renforcée quand, au terme de cette promenade, achevée sur le geste vengeur, il retrouva sa mère, au *Mèdes-Palace*, seule dans sa chambre et qui lui dit :

– « j'ai fait se coucher ta sœur, mon ami. Je sais que Jaffeux t'a tout appris, et comment la pauvre petite a éprouvé une grande secousse, et quelles idées folles elle s'était faites. Je sais aussi quel procédé cet homme avait employé à ton égard, ce prêt d'argent, avec l'idée de faire de toi son complice. Comme il te connaissait mal, mon Gilbert !… Et pour cet argent, tu ne t'es pas adressé à ta vieille maman !… Enfin, tout cela, c'est du passé. Nous ne le reverrons plus. Grâce à Jaffeux, tu es libéré de ta dette. Je lui ai rendu la petite somme et j'ai réglé au bureau les leçons de danse. Promets-moi seulement de ne parler de rien à Renée. Ces chagrins de jeune fille, comme celui-là, sont de très petites blessures. Il ne faut pas les envenimer en y touchant. »

La consigne de silence, imposée pal Mme Favy à Gilbert, révélait la profondeur à la fois et la lucidité de son inquiétude. La sensibilité de sa fille, on l'a déjà dit, ressemblait trop à la sienne pour qu'elle ne devinât pas la tragédie que provoquait, chez la pauvre enfant, ce douloureux dénouement de sa romanesque illusion. Quel réveil : découvrir à vingt ans que l'on a donné les premières, les plus virginales émotions de son cœur à un homme chargé de la plus abjecte des hontes, l'escroquerie ! La mère en oubliait ses propres inquiétudes sur les parties de jeu de son fils. De quel regard elle enveloppa sa malheureuse enfant durant les vingt-quatre heures qui suivirent leur explication, mais sans plus la questionner ! Ses anxiétés, elle les disait au seul Jaffeux, devenu son confident, par la force des choses, et tantôt elle se lamentait, avec un remords toujours renouvelé, sur sa propre imprudence, tantôt elle s'excusait du départ presque immédiat de Renée, quand l'accusateur de Neyrial approchait :

– « Ne lui en veuillez pas, mon cher ami, » disait-elle. « Un jour, elle vous sera reconnaissante. En ce moment, vous lui représentez l'épreuve la plus pénible de toute sa vie. Vous vous rappelez son mot, quand vous lui avez dénoncé ce bandit et de quel accent elle vous a interpellé : « C'est bien vrai ?... » Naturellement, je ne lui prononce plus jamais le nom de cet homme. Elle ne m'en parle point. Mais, par instants, je me demande si elle ne s'imagine pas que, vous et moi, nous avons machiné un complot pour la guérir d'un sentiment que nous aurions deviné. Et puis, même sans conjuration de notre part, elle peut croire que ce garçon a été calomnié, que nous l'avons condamné sans preuves suffisantes, sur des apparences, sur un malentendu, que sais-je ? Une femme qui aime, a tant besoin d'estimer celui qu'elle aime ! Et qu'elle l'aime, le misérable, j'en suis trop sûre, je ne le constate que trop à sa pâleur, à ses silences, aux traces de ses larmes sur ses pauvres joues creusées. Car elle pleure maintenant. Ah ! que j'ai été coupable !

L'intuition maternelle ne se trompait pas sur le principe de la gêne presque insupportable que la présence de Jaffeux infligeait à la jeune fille, ni sur la nature du travail mental qui s'accomplissait en elle. Le caractère de l'avocat rendait indiscutables les deux accusations qu'il avait portées. L'amoureuse enfant les discutait pourtant avec elle-même. Du premier vol, celui des livres, Jaffeux n'avait dit que le fait matériel, sans entrer dans le détail des circonstances. Ne pouvait-il pas s'être abusé ? Renée se rappelait, au cours d'un dîner chez eux, à Paris, l'avoir entendu lui-même parler des erreurs judiciaires et citer des exemples célèbres. Quand des tribunaux, composés de plusieurs magistrats, se laissent égarer, comment admettre l'infaillibilité d'un homme seul ? Mais il y avait le second vol et l'aveu au commissaire... L'étrange don de double vue, que possède l'amour, mettait cette enfant sans expérience sur le chemin de la vérité. Elle entrevoyait l'hypothèse que son coup d'œil de policier avait suggérée aussitôt a l'inspecteur et que Jaffeux avait acceptée, une minute, pour la rejeter bien vite :

« Il a avoué ? » répétait-elle. « Avoué ?... Et si, par générosité, il a voulu sauver quelqu'un ?... » Et la secrète rancune de son ancienne jalousie se fixant sur un nom : « Si c'était cette abominable Mlle Morange, par exemple, qu'elle eût volé le bijou, pris peur, demandé son aide et qu'il ait eu pitié d'elle ?... » Ce dévouement de Neyrial pour sa camarade eût impliqué une tendresse dont la seule idée faisait mal à Renée, et, se rejetant en arrière de toute la force de son cœur : « Je suis folle... M. Jaffeux avait l'air si assuré dans ses affirmations et papa l'estime tant ! »

IX

De tels malaises, où toute la force de l'âme se consume dans le martyre de l'anxiété, lui donne un si passionné besoin d'en sortir, qu'aucune barrière ne tient là contre, quand l'occasion s'en offre. Après des heures et des heures passées dans ce débat contre une navrante évidence, et tandis que sa mère faisait, dans la pièce voisine, sa sieste accoutumée après le déjeuner, Renée se tenait dans sa chambre à elle, debout, le front appuyé contre la vitre de sa fenêtre, et elle regardait le jardin, si joyeusement traversé cet hiver pour gagner le salon, quand Neyrial l'y attendait, et qu'elle allait danser avec lui. Le mistral était tombé. Des nuages pesaient sur la campagne. Elle goûtait une mélancolique douceur à considérer l'horizon voilé de ce début d'après-midi et ce ciel gris, dont la morne lumière contrastait avec le radieux azur africain épandu d'ordinaire sur ces palmiers et ces yuccas, ces mimosas et ces roses. N'était-ce pas un symbole de sa détresse d'aujourd'hui, succédant à ses allégresses d'alors ?... Tout à coup, elle reçut comme un choc au cœur. Rêvait-elle ? Cet homme, qui sortait de la porte de l'hôtel et s'engageait dans ce jardin, était-ce vraiment Neyrial ?... Mais oui !... Elle reconnaissait son port de tête si droit, un peu altier, sa taille mince, sa démarche souple et leste même dans la lenteur, comme en cet instant où il s'occupait prosaïquement à ranger des billets de banque dans son portefeuille. Il était sans nul doute venu au Palace pour régler l'arriéré de ses leçons de danse. « Quand on gagne ce qu'il gagne, en travaillant comme lui, » pensa Renée devant ce geste, « on n'est pas un voleur... » Et aussitôt « Ah ! il faut que je sache ! » Déjà, impulsivement, et sans réfléchir davantage, elle était dans l'escalier, tête nue. D'un élan, elle descendait les marches. Elle sortait, elle aussi, de l'hôtel, mais par une autre porte. Elle s'engageait dans une allée qui coupait celle où passait Neyrial. Son frère Gilbert se tenait à deux pas, sur la terrasse du rez-de-chaussée. Elle n'y prit pas garde, non plus qu'à la dangereuse Mlle Morange, en train de causer avec trois de ses élèves. La danseuse savait-elle la présence de son camarade dans le jardin, ou la devina-t-elle à la course hâtive de sa rivale ? Elle se pencha pour la suivre des yeux, dans l'interstice des fûts dénudés des palmiers. Un retroussis méchant crispa soudain le coin de ses lèvres minces. Elle venait de voir Renée et Neyrial s'aborder. Tout à l'heure, elle avait, elle aussi, remarqué la présence de Gilbert Favy sur la terrasse : « Je vais prévenir le frère, » se dit-elle. Certes, elle eût prolongé les quelques minutes qu'elle mit à se libérer de ses interlocutrices, si elle avait pu entendre les paroles échangées entre les deux jeunes gens, quelques phrases à peine, mais qui consommaient d'une manière irréparable une rupture à laquelle sa lettre anonyme avait si perfidement travaillé, car c'était bien elle qui l'avait écrite.

– « Monsieur Neyrial !... » avait interpellé Renée, toute tremblante.

– « Ah ! c'est vous, mademoiselle Favy ! » avait répondu Neyrial, en la reconnaissant.

Il s'était arrêté pour glisser son porte-feuille dans la poche intérieure de son veston, qu'il boutonnait avec une tranquillité mal jouée, et, levant son chapeau de sa main devenue libre :

– « Vous m'excusez, et aussi de n'être pas allé prendre une dernière fois congé de vous et de madame votre mère. »

Sa voix changeait un peu, en achevant cette protestation de banale politesse. À regarder la jeune fille, il venait de s'apercevoir qu'elle était bouleversée, et il l'écoutait balbutier, d'une voix où se prolongeait la mortelle angoisse de ces derniers jours :

– « Monsieur Neyrial, expliquez-moi… Dites-moi que ce n'est pas vrai… »

– « Mais quoi, mademoiselle ? » interrogea-t-il.

– « Ce que m'a dit M. Jaffeux… » répondit-elle, d'un accent soudain raffermi, comme il arrive aux plus timides, quand un sursaut passionné les a jetés hors de toute convention.

Et, pensant tout haut, elle allait droit à la chose qui lui tenait seule au cœur :

– « Oui ! » continua-t-elle… « Que vous aviez été son secrétaire et que… »

Il l'arrêta d'un geste. Il était devenu très pâle, puis très rouge. De cette brusque et violente secousse intérieure avait jailli une volonté, préparée sans doute par de longues méditations, car ses yeux, sur lesquels avaient battu ses paupières, dardaient maintenant un regard résolu, et sa voix se faisait ferme et nette pour reprendre la phrase qu'il avait empêché la jeune fille d'achever :

– « Et que j'ai commis chez lui une faute très grave. Oui, mademoiselle, c'est vrai. »

– « Que vous avez ?… »

– « Que j'ai volé… » interrompit-il avec la brusquerie d'un homme qui sait que certaines paroles, très pénibles, doivent être prononcées, mais qui veut qu'elles aient été dites par lui.

– « Et la broche de lady Ardrahan ? » implora-t-elle.

– « C'est moi aussi qui l'ai volée… » répondit-il.

Cette fois, une espèce de sauvagerie passait dans son accent.

– « Ah ! mon Dieu !… » gémit Renée en s'appuyant pour ne pas tomber contre le tronc du palmier sous lequel avait lieu cette explication, tragique pour elle.

Elle se redressa, et ses mains, où elle cachait fiévreusement son visage, s'écartèrent dans un mouvement de terreur, à s'entendre appeler par trois fois, et de quel ton :

– « Renée ! Renée ! Renée !… »

C'était Gilbert, qui arrivait en courant par l'allée. D'instinct, elle fit un pas pour se mettre entre Neyrial et le nouveau venu, dont l'aspect annonçait une colère qui ne se possède plus, et, saisissant le bras de sa sœur d'une poigne brutale, le frère la rejetait violemment derrière lui, en criant :

– « Tu n'as pas honte ! Tu vas rentrer et tout de suite. Rentre. Mais rentre !… Et vous, monsieur Pierre-Stéphane Beurtin… »

Il marchait maintenant vers celui qu'il croyait le complice de Renée, en l'appelant de son vrai nom, dont il détachait les syllabes :

– « Allez-vous-en, et que je ne vous rencontre plus jamais sur mon chemin, sinon... »

Il levait sa canne en proférant cette menace, à laquelle l'autre répondit par un geste pareil. Ils restèrent ainsi une minute en face l'un de l'autre, dans l'attitude de deux faubouriens qui se préparent à un ignoble duel au bâton. Puis, tout d'un coup, Pierre-Stéphane éclata d'un rire dont l'outrageant sous-entendu paralysa le véritable voleur du bijou, et, haussant les épaules, il tourna sur les talons pour se diriger vers la sortie du jardin, sans plus regarder ni le frère ni la sœur, celle-ci toujours appuyée contre le large fût du palmier, les yeux agrandis par la terreur, celui-là laissant tomber son bras et courbant à demi la tête. Le rire terrible de Neyrial avait eu, pour lui, une signification trop claire, celle d'un mépris trop mérité. C'était comme si l'autre lui avait dit : « Vous ! Vous ! Après ce que vous avez fait ! » Sous le coup de cet affront, la colère du justicier fiévreux de tout à l'heure, était tombée, et une humiliation passait dans sa voix, pour demander à sa sœur :

– « Mais qu'y a-t-il donc entre cet homme et toi, ma pauvre Renée ? »

– « Rien que ma folie..., » répondit la jeune fille, qui se reprenait, elle aussi. « Jamais, Gilbert, jamais, je te le jure, il ne m'a adressé une parole que maman et toi n'eussiez pu entendre... Mais c'est vrai, je m'étais fait de sa personne une telle idée ! Je le plaignais tant de malheurs que j'imaginais immérités, et je le mettais si haut !... Alors, quand M. Jaffeux nous a dit ces deux vols, celui des livres, chez lui, celui du bijou de lady Ardrahan, à l'hôtel, ç'a été un effondrement. Ah ! que j'ai souffert !... Et puis, j'ai pensé : « Non. Non. Ce n'est pas possible. « Il n'a pas fait cela... » Je te répète : c'était fou. Je le comprends à présent... Et puis, il y a dix minutes, j'étais à ma fenêtre. Je le vois marcher dans le jardin. Le besoin de savoir a été plus fort que tout. J'ai voulu à tout prix lui parler, savoir, je te répète, savoir... Maintenant, je sais... »

– « Et que sais-tu ? » interrogea Gilbert. Plus de doute. Neyrial l'avait dénoncé. Qu'allait-il entendre, et quelle honte ! Et il écoutait, avec stupeur, la révélation d'une nouvelle générosité à son égard qui allait lui être plus douloureuse encore :

– « Ce que je sais ? » répondait Renée, « mais qu'il les a commis, ces deux vols ! Quand il m'a dit que c'était vrai, qu'il les avait bien pris, ces livres chez M. Jaffeux, qu'il l'avait bien prise, cette broche, chez lady Ardrahan, ah ! comme j'ai souffert !... Tu es venu... Je vous ai vus, l'un en face de l'autre, vous menaçant... Alors j'ai cru que j'allais mourir. Mais c'est passé !... – Elle répéta : « C'est passé ! » en secouant sa tête et pressant ses doigts sur ses yeux. – « Laisse-moi rentrer. Quand maman se réveillera, il faut que je lui montre un visage qui ne l'inquiète pas. J'en aurai l'énergie. »

Cette reprise de sa volonté intérieure prêtait a ses traits, à cette seconde, une expression où Gilbert retrouva une ressemblance avec le masque si ferme de leur père, et d'un accent changé aussi :

– « C'est affreux, » continua-t-elle, « que j'aie pu donner tant de mon cœur à un indigne. Ce qui me fait du bien, c'est qu'il a été, du moins, sincère avec moi, qu'il ne m'a pas menti, ni cherché d'excuses à ses fautes. Cette loyauté de l'aveu, c'est un reste d'honneur dans le déshonneur. C'eût été si dur de le mépriser tout à fait ! »

– « Je t'accompagnerai, » dit Gilbert, comme Renée marchait du côté de l'hôtel. « Je voudrais... »

Elle ne lui laissa pas le temps d'achever sa phrase. Elle apercevait Mlle Morange qui les guettait, et, se mettant à courir par une allée transversale :

– « Oh ! cette femme ! s'écria-t-elle. « Empêche qu'elle ne m'aborde, Gilbert. Je ne serais pas sûre de me dominer. »

La danseuse s'approchait en effet des deux promeneurs. Par un mouvement instinctif, Gilbert imita sa sœur. Il s'engagea dans une autre direction, pour éviter, lui aussi, la dénonciatrice, qui haussa les épaules ; et tout en retournant du côté de la salle de danse, elle disait, à voix haute :

– « Je leur ai rendu un grand service. Ils m'en veulent. C'est la règle… »

Elle ne se doutait pas, en prononçant ces mots, que cette banale remarque, bien fausse dans sa bouche, s'appliquait d'une manière saisissante à la crise, traversée maintenant par le frère de celle dont elle était si vilainement jalouse. Tandis qu'il remontait à son tour vers le Palace pour regagner sa chambre, il ne pouvait plus penser à rien qu'au fait extraordinaire et indiscutable qu'il venait d'apprendre. Ce Neyrial contre lequel il levait sa canne quelques instants auparavant, dans un délire de fureur, s'était, pour la seconde fois, donné comme auteur de l'acte ignoble dont il portait, lui, le poids sur sa conscience !

Du coup, ce témoignage, apporté par Renée, ruinait à fond l'édifice d'hypothèses construit par Jaffeux. Si ce garçon avait été le séducteur accusé par son ancien patron, se serait-il déshonoré, gratuitement, aux yeux de la jeune fille ? Non, puisque c'était là se l'aliéner à jamais. Impossible d'imaginer qu'en agissant de la sorte il se ménageât un moyen de pression sur le vrai coupable. Celui-ci ne voyait plus qu'un seul motif à cette attitude, adoptée à deux reprises, dans ce bureau de commissariat d'abord, puis tout à l'heure dans le jardin. Le voleur de livres, qui s'était perdu par cette première faute, avait eu pitié du voleur du bijou. Cette pitié expliquait également le prêt des mille francs. Si Gilbert n'avait pas eu dans les oreilles ce rire de tout à l'heure et son insultante ironie, combien l'eût touché cette triple preuve d'une si généreuse sympathie ! À cette minute, et trop près de cette scène, ce bienfait lui était plus qu'odieux, intolérable. Le fils d'officier, chatouilleux, par éducation et par hérédité, sur le point d'honneur, frémissait encore de l'affront, et que l'auteur de cet affront eût eu, à son égard, de telles magnanimités, achevait de le jeter dans un état de gêne morale tel qu'il n'en avait jamais éprouvé de pareil. L'impression est si amère pour un cœur un peu fier de se sentir ingrat et de ne pouvoir pas ne pas l'être ! Le soin que Neyrial avait pris de cacher la vérité au commissaire et à Renée, rendait au coupable la hideur de sa faute plus évidente et avivait son remords, en même temps que la noblesse de ces procédés l'humiliait au plus intime de son amour-propre. Il supportait mal le rôle par trop médiocre qu'il avait eu dans leurs rapports : emprunts d'argent d'abord, puis règlement brutal de sa dette, enfin et surtout, son silence, quand Jaffeux et Renée lui avaient appris que, par deux fois, et volontairement, Neyrial s'était substitué à lui dans cette ignoble affaire du vol. Et lui, le fils du colonel Favy, du grand blessé de Verdun, il avait accepté cette substitution en se taisant ! Quelle honte, presque pire que la faute elle-même ! C'était si lâche. Entre deux jeunes gens qui *sodalisent*, – pour emprunter à la langue latine un mot qui nous manque et qui signifie un compagnonnage de plaisir plus cordial que la camaraderie et moins tendre que l'amitié, – il se crée aussitôt une inconsciente émulation, aisément ombrageuse. Chacun veut être, à tout le moins, l'égal de l'autre. De se trouver si inférieur, dans la circonstance, accablait Gilbert. Comment reconquérir un peu de sa propre estime ? En ne restant pas le bénéficiaire de ce mensonge protecteur qu'il avait eu la faiblesse d'accepter, – vis-à-vis de Jaffeux, parce qu'il n'avait vu dans cette substitution que la plus perfide rouerie, vis-à-vis de sa sœur, parce que la surprise l'avait paralysé. L'une ou l'autre de ces deux défaillances devait être réparée. Pourquoi pas tout de suite ?

Et, l'action suivant la pensée, comme il arrive dans les moments de vibration totale de notre être, il sortit de sa chambre, où il venait de passer une heure entière, sans même s'en apercevoir, dans cette tempête de pensées, juste à temps pour rencontrer sa mère et Renée qui attendaient sur le palier de l'ascenseur.

– « Je me sens mieux », disait Mme Favy, « et nous allons prendre un peu de soleil. Tu ne descends pas avec nous ? »

– « Volontiers », répondit le jeune homme. « J'irai peut-être jusqu'au golf », ajouta-t-il, « et si Renée veut m'accompagner… »

– « Je préfère rester avec maman », fit la jeune fille, « mais tu trouveras là-bas M. Jaffeux. »

Elle avait compris que son frère désirait reprendre leur entretien si brusquement interrompu, et il était visible qu'elle s'y refusait. Ils étaient tous les trois dans l'ascenseur, à présent, et tandis que fonctionnait la lourde machine, il regardait sa sœur avec une admiration renouvelée pour son courage. Il la voyait raide et distante, son mince visage tendu dans une volonté de calme, et il se rendait compte, à l'expression grave de ses yeux, qu'elle n'avait pas menti, en lui répétant tout à l'heure : « C'est passé. » Le frère connaissait, pour s'y être heurté sans cesse dans leurs petites disputes d'enfant, ce trait du caractère de Renée, cette faculté de prendre des partis avec elle-même, si pénibles fussent-ils, sur lesquels elle ne variait plus. Ce qui était passé, hélas ! ce n'était pas son chagrin. La tristesse du fond de ses prunelles le disait assez. C'était ce qu'elle appelait sa folie, cette exaltation romanesque autour d'une personnalité, aujourd'hui dégradée pour elle à jamais. Lui apprendre la vérité sur le vol des bijoux risquait de rendre, dans son imagination, un prestige encore accru à cet homme, qu'elle ne pouvait vas épouser sans un drame familial, dont le contre-coup tuerait leur mère. Gilbert la regardait aussi, cette mère. Aux taches rouges de ses joues, à la nervosité de ses moindres mouvements, à ses yeux plus brillants, il constatait quel ravage exerçaient déjà, sur ce fragile organisme, les émotions des derniers jours.

« Non », se disait-il, en sortant de l'ascenseur et en prenant congé des deux femmes, « mon devoir ici est de ne pas parler. Je suis sûr que Jaffeux sera de cet avis. »

Comme on voit, il ne discutait déjà plus l'idée de confesser sa faute à l'ancien patron de Pierre-Stéphane. À ce désir de se mésestimer un peu moins se mêlait ce besoin d'un appui moral, que les natures comme la sienne, impulsives et incertaines, éprouvent dans les crises auxquelles ces deux funestes défauts, l'irréflexion et l'incohérence, les acculent si souvent. Auprès de qui d'autre le trouver plus sûr et plus efficace, cet appui ? La réaction de Gilbert contre son père n'empêchait pas qu'il ne l'admirât et qu'il ne subît l'influence de ses jugements sur les hommes. Il savait la haute opinion que le colonel avait de Jaffeux, et le sentiment de marcher vers le secours assuré, lui faisait hâter le pas pour franchir la distance qui séparait le *Médès-Palace* du terrain de golf, aménagé au delà d'un autre grand hôtel, sur les bords du Gapeau. L'avocat se tenait là, en effet, assis sur un banc, à l'ombre d'un bouquet d'eucalyptus. Il considérait, avec un intérêt un peu badaud de vieux bourgeois français, les allées et venues des dix ou douze joueurs, en train, ici, de lever leur club pour donner un coup à la boule posée devant eux, – plus loin faisant quelques pas pour se mettre à portée d'un autre trou. Chacun était suivi d'un petit garçon, le caddie, qui portait dans un étui les instruments de rechange.

– « Vous me voyez à la fois amusé et attristé », dit-il à Gilbert, quand celui-ci l'eut abordé. « Mais oui, j'ai de nouveau l'impression que notre vieille France tourne au pays colonisé. Regardez ces joueurs, avec les larges semelles de leurs chaussures, leurs bas d'une laine multicolore, leurs culottes bouffantes, leur courte pipe de bois à la bouche, leur casquette souple, et rappelez-vous les gravures du Punch. Ce sont des Anglais qui s'amusent à un jeu anglais, sur un champ d'exercices préparé à l'anglaise, et ces gamins qui les accompagnent, – j'en ai questionné deux ou trois, – ce sont des Italiens. On n'emporte pas sa patrie à la semelle de ses souliers, affirmait ce brigand de Danton. Je ne connais pas de parole plus fausse. Mais si, on l'emporte. Ces Anglais restent des Anglais, ces Italiens des Italiens. Rien ne m'inquiète pour notre avenir comme cet afflux d'étrangers inassimilables – ils le sont tous, – dont nous ne voyons ici qu'un minuscule épisode… Mais, allons au plus pressé. J'ai entr'aperçu seulement madame votre mère, cet après-midi. Votre sœur est plus calme, paraît-il. Qu'en pensez-vous ? »

– « Qu'elle a beaucoup de courage, » répondit Gilbert, « et qu'elle se dominera jusqu'au bout. »

– « Il y a un point noir », reprit Jaffeux. Prandoni m'apprend que Pierre-Stéphane Beurtin débute aujourd'hui même comme danseur à Tamaris, à *l'Eden-Hôtel* où il a un engagement. J'ai pensé tout de suite : « Il est bien près d'ici. N'aurait-il pas l'idée d'en profiter pour voir Mlle Renée, ou pour essayer ? » J'ai dit à Prandoni : « Votre confrère de *l'Eden* ne vous a pas demandé des renseignements ? » – « Non », m'a-t-il répondu. « Vous pensez à mon soupçon à propos de la barrette ? Vous n'avez pas su que le commissaire me l'a rendue sans vouloir s'expliquer sur la façon dont elle lui avait été apportée. Je garde l'idée que Neyrial a bien pu, après l'avoir volée, juger plus prudent de la remettre à la police en demandant le secret. S'il en est ainsi, et qu'il commette une nouvelle indélicatesse là-bas, – tant mieux pour les *Mèdes* dont l'*Eden* est un dangereux concurrent. Tout ce qui peut lui nuire nous sert. » Quelle bassesse ! Ah ! les hommes ne sont pas bons !… Je me demande si ce ne serait pas à moi d'avertir le propriétaire de l'*Eden*, et dès aujourd'hui… »

– « Vous ne ferez pas cela, monsieur Jaffeux, même si le commissaire vous avait autorisé à cette dénonciation, quand vous saurez tout... »

À l'accent dont cette phrase était prononcée, l'avocat se retourna vers le jeune homme. Cette physionomie, si obscure d'ordinaire, et en particulier ces jours derniers si fermée, si défiante, s'éclairait en ce moment. Ces yeux auxquels Jaffeux reprochait l'absence de regard rayonnaient d'une lumière de courage et de franchise. Quand on se dégrade, on éprouve le besoin de mentir. L'avocat connaissait bien cette loi de notre vie morale, et aussi que le premier indice du relèvement est un irrésistible appétit de sincérité. Tout en écoutant le véritable voleur du bijou raconter son propre égarement et ce qui avait suivi, jusqu'à la scène de cet après-midi même, entre Renée et Neyrial, il l'observait, et il avait l'évidence d'avoir devant lui un Gilbert Favy qu'il ne connaissait pas. Une autre évidence s'imposait, pour lui effarante. Si Pierre-Stéphane, devenu Neyrial, s'était réellement conduit ainsi, – mais comment en douter ? – il ne le connaissait pas davantage. Quand cette confession fut achevée, il manifesta le déconcertement extrême où elle le jetait, par une attitude de réflexion et un silence que son interlocuteur interpréta comme un signe du plus sévère jugement :

– « Vous me trouvez bien méprisable, n'est-ce pas ?... balbutia-t-il.

– « Non », répondit fermement l'avocat.

Il s'était levé, et passant son bras sous le bras du jeune homme, d'un geste paternel, il répéta : – « Non, non, mon enfant. Vous avez tout effacé, en ne supportant pas que je pense de votre bienfaiteur ce que j'en pensais et en vous accusant avec cette droiture dans un très pénible aveu... Mais, partons d'ici. Il est trois heures. D'Hyères à Tamaris, en auto, il y a un peu plus d'une heure... Plus que jamais, il faut que j'aille à cet *Eden-Hôtel*, et tout de suite... »

– « Pour m'excuser auprès de lui, de mon geste de tout à l'heure ? » dit Gilbert. « Non, monsieur Jaffeux. J'aurai le courage de faire cette démarche moi-même... Je la lui dois. Ce sera dur, mais... »

– « Mais vous ne savez pas comment il vous recevra, » interrompit Jaffeux, « ni comment vous-même prendrez son accueil… Quand deux hommes en sont venus aux voies de fait, et une canne levée c'est une voie de fait, le plus sage est qu'ils ne se rencontrent que longtemps après. Et encore !… Et puis, votre injustice à son égard, j'en suis responsable, moi, et non pas vous. Oui. Qui donc vous a persuadé qu'il poursuivait un plan de séduction, où il voulait, par les procédés d'une amitié simulée, vous faire jouer un rôle de complice ? Moi… Qui vous a représenté comme autant de pièges, et ses gentillesses de camaraderie, et son prêt d'argent, et jusqu'à cette insistance pour que vous lui promettiez de ne plus jouer ? Moi… Qui donc, rapprochant son ancienne faute des autres indices, vous a montré en lui un scélérat consommé ? Toujours moi… Si quelqu'un lui doit une réparation, c'est moi. Mais, Gilbert, ce n'est pas à cause de vous seulement que j'ai besoin d'aller à Tamaris, de l'interroger, de comprendre… Écoutez-moi bien, mon enfant, et souvenez-vous toute votre vie de ce que vous dit aujourd'hui un vieillard bien ému d'avoir constaté en vous ce sentiment aigu de la responsabilité, ce passionné désir de s'estimer soi-même qui fait l'honnête homme. On n'est pas seulement responsable de ses propres actions.

On l'est aussi de celles des autres, quand on en fut la cause indirecte. Il y a une phrase, dans un psaume, qui exprime cela magnifiquement : « *Delicta quis intelligit ? Ab occultis meis munda me*… Qui connaît toutes ses fautes ? Purifiez-moi, Seigneur, de celles qui me sont cachées… » Je n'ai jamais pensé à mon ancien secrétaire, depuis des années, sans que ce verset de l'Écriture ne me revînt à la mémoire. Avais-je bien agi, en étant si dur pour lui ? Car j'ai été très dur, comme je l'aurais été de nouveau en toute occasion, après ce que je croyais de sa conduite au *Mèdes*. Vous m'avez rendu un tel service, mon ami, en m'éclairant par votre confession ! Mais, ce qu'elle ne m'a pas appris, c'est le motif pour lequel Pierre-Stéphane s'est conduit de la sorte. C'est l'histoire de son caractère, et ce qu'il est devenu dans ce métier extraordinaire que vous prétendiez lui envier. Je m'en rends compte, maintenant. Vous aviez cette fièvre du remords, qui a ses délires, comme l'autre. L'événement qui a dominé sa destinée, ç'a été ce vol chez moi, et la façon dont je l'ai chassé. Quand je l'ai retrouvé, danseur mondain dans ce Palace, ma première idée a été c'est un peu à cause de moi, tout de même, qu'il s'est déclassé. J'ai eu, ensuite, tant de raisons vraisemblables de supposer chez lui une perversité foncière : sa conduite avec votre sœur, avec vous, telle que je la connaissais, cette histoire du bijou ! Votre témoignage m'a rendu tous mes doutes sur lui et sur ma sévérité d'autrefois. Qui est-il vraiment ? Je vais essayer de le savoir… »

– « Et s'il refuse de causer avec vous ? » fit Gilbert. « S'il se dérobe ?… » – Et, douloureusement : « – Ah ! vous n'avez pas entendu son rire, quand j'ai marché sur lui… J'en garde la sensation d'avoir reçu un soufflet. Je ne peux pas supporter qu'il pense de moi ce qu'il en pense. »

– « S'il se dérobe ?… » répondit Jaffeux. « Vous serez toujours à temps de lui écrire. Je vous ferai votre lettre, » ajouta-t-il, sur un geste de détresse du jeune homme, « mais il ne se dérobera pas. Lorsqu'on a rompu, comme lui, avec tout son milieu, et que l'occasion s'offre de s'expliquer avec quelqu'un qui vous le représente, on la saisit et on parle. Je le jugerai là-dessus. »

Comme ils étaient devant le *Mèdes-Palace*, il appela de la main un des chauffeurs qui stationnaient devant la porte, et, revenant à Gilbert.

– « Une promesse, seulement. Pas un mot à votre sœur. Pour qu'elle guérisse, il faut qu'elle continue à être abusée. Je sais. Vous souffrirez beaucoup à l'entendre vous dire qu'elle méprise cet homme. Le supporter, ce sera pour vous l'expiation. D'ailleurs, vous lui devez ce silence, à lui aussi, puisqu'il a voulu qu'elle le crût coupable. »

– « Mais pourquoi l'a-t-il voulu ? » demanda Gilbert.

– « Je vais le savoir » répondait Jaffeux. Déjà il était monté dans l'auto. Il avait dit au chauffeur : – « À Tamaris, à *l'Eden-Hôtel*. » Et comme le moteur ronflait, il se pencha par la fenêtre de la portière, pour renouveler au frère de Renée sa dernière recommandation : – « Pas un mot à Renée, et à tout à l'heure. »

X

La route d'Hyères à Toulon, puis à Tamaris, par la Seyne, est bien belle, par ces après-midi du premier printemps, avec ses villas apparues entre les palmiers, les cerisiers en fleur, la première verdure de ses vignes, et les deux montagnes d'une si fière silhouette qui la dominent, le Coudon et le Faron. Est-il besoin de dire que Jaffeux eut à peine un regard pour cette magnificence et cette grâce du lumineux paysage provençal ? Il n'avait pas menti en citant à Gilbert Favy ces paroles du psaume que commentait Pascal dans son *Mystère de Jésus* : « Si tu connaissais tes péchés, tu perdrais cœur… À mesure que tu les expieras, tu les connaîtras. Fais donc pénitence pour tes péchés cachés et la malice occulte de ceux que tu connais… » Il était de ceux qui veulent, sur le soir de leurs jours, avoir mis en ordre tout leur passé, en s'humiliant au souvenir des erreurs irréparables, en réparant à tout prix les autres. Allait-il pouvoir faire un peu de bien à Pierre-Stéphane ? Oui, puisque ce fils d'une femme qu'il avait tant admirée, tant vénérée, gardait quelques-unes des qualités d'âme de sa mère. Sa conduite vis-à-vis du frère de Renée, si extraordinaire de générosité, le démontrait. L'image de cette noble femme, à la mort de laquelle sa dureté pour son infidèle secrétaire avait fait, à son insu, participer l'avocat, flottait devant ses yeux. Il croyait entendre sa voix qui lui disait comme autrefois : « Soyez bon pour lui ! » – Mais comment l'aider ? Qui était-il vraiment ? Cette question, énoncée tout haut devant Gilbert, il se la posait de nouveau tout bas, tandis que l'automobile l'emportait vers une rencontre, qui surexcitait aussi sa curiosité. À quels motifs avait obéi le pseudo-Neyrial en s'accusant faussement auprès du commissaire et de la jeune fille ? La pitié pour un camarade, dont l'aventure ressemblait à la sienne, aurait-elle suffi à provoquer un dévouement qu'une longue expérience rendait fantastique pour un homme, comme celui-là, initié à tant de complications par tous les procédés qu'il avait plaidés ? D'aventure analogue, il n'en avait pas rencontré…

Mais déjà Toulon et La Seyne étaient loin. L'automobile traversait un bois de pins maritimes dont la sombre épaisseur évoqua soudain pour lui, dans la disposition d'esprit où il était une phrase de Tourgueniev, le seul des romanciers russes que son goût exquis de vieux Français lui permît de supporter : « L'âme d'autrui est une forêt obscure. » Les villas de Tamaris apparaissaient, puis une façade sur laquelle se lisait, en énormes lettres dorées, le nom de l'*Eden-Hôtel*, et il descendait, pour entendre, lui arrivant du fond d'une grande véranda ménagée en prolongement de la bâtisse primitive, une musique pareille à celle du *Mèdes-Palace*, le premier soir. Des silhouettes de danseuses et de danseurs se dessinaient derrière les vitres. Un portier s'avançait au devant de lui, auquel il demanda s'il pouvait parler à M. Neyrial.

– « M, Neyrial est en train de conduire le thé-dansant, » lui fut-il répondu dans un accent venant tout droit d'Allemagne, qui justifiait trop sa remarque de tout à l'heure sur l'invasion de la Côte d'Azur par les étrangers.

– « Je vais l'attendre », dit Jaffeux.

– « Si Monsieur veut entrer dans l'*atrio* qui précède la salle de danse ?… » suggéra un chasseur, Italien celui-là, comme en témoigna un *Ciao Peppino*, jeté à un garçon de son âge, en train de pousser de la main une bicyclette qu'il enfourcherait, aussitôt hors l'hôtel.

Cette impression de capharnaüm cosmopolite fut corrigée pour Jaffeux, par l'accent marseillais du garçon qui le débarrassa de son pardessus, à son entrée dans l'étroite antichambre ; pompeusement qualifiée d'*atrio* par l'Italien et qui servait de vestiaire aux visiteurs du thé-dansant :

– « Monsieur ne préfère pas s'asseoir là ? » disait cet homme, en montrant le salon. « Je lui trouverai une table… »

– « Non », fit Jaffeux, et, tirant de son portefeuille un billet de vingt francs : – « J'ai très peu de temps et je voudrais seulement causer quelques minutes avec M. Neyrial… »

– « Le nouveau danseur ? Ah ! ça ne sera pas facile, monsieur. Un danseur mondain, ce n'est pas une sinécure. Celui-là vient d'arriver, cet après-midi. C'est un as, paraît-il, et toutes les dames vont le réclamer. Mais le système D, ça me connaît. Je vais m'arranger pour vous l'envoyer… »

Tandis que le complaisant personnage s'en allait par un couloir latéral, pour reparaître devant la porte du fond de la vaste salle, au pied même de l'estrade réservée à l'orchestre, Jaffeux, dissimulé dans un angle de sa retraite, pouvait voir celui qu'il cherchait vaquer à ses devoirs de danseur professionnel, qui consistent d'abord à faire danser les femmes qui, sans lui, ne danseraient pas. En ce moment, Neyrial entraînait, dans un boston, une Anglaise de cinquante ans très passés, massive et raide, avec un de ces rouges visages pour lesquels ses compatriotes ont inventé l'éloquente expression de *port-wine face*. Le jeune homme mettait à conduire cette débutante en cheveux gris une gentillesse qui sauvait le ridicule de cette tardive initiation. Attentif à la fois et souriant, il semblait avoir oublié la scène pénible qui l'avait dressé, la canne haute, en face de Renée défaillante et de son frère en fureur. Il n'eut pas plus tôt ramené sa lourde partenaire à sa chaise, qu'une jeune fille, délicieuse celle-là, de fraîcheur et de souplesse, se leva pour venir hardiment à lui, ce qui n'empêcha pas l'audacieux Marseillais de s'avancer aussi, et de lui dire quelques mots à l'oreille, auxquels il répondit par un signe d'acquiescement, en partant avec sa nouvelle compagne dans un *paso-doble*, dont les théoriciens de la chorégraphie moderne disent qu'il faut le danser « sur un mouchoir de poche ». Maintenant, la joie du mouvement vif et bien réglé semblait animer tout son corps. Ses yeux rayonnaient. Cette enfant de dix-huit ans peut-être et lui faisaient un couple d'une telle harmonie dans la sveltesse, que les buveurs de cocktails, debout là-bas, devant un bar dressé dans un recoin, en oubliaient de déguster leur *Manhattan* et leur *Widow's smile*, pour les regarder.

– « M. Neyrial viendra rejoindre monsieur. Je vous l'amène aussitôt après cette danse », avait susurré le Marseillais, de retour auprès de Jaffeux, et, avec une familiarité toute méridionale « Vous l'ai-je dit que c'était un *as* !... »

« Pourvu qu'il ne recommence pas le coup du *Mèdes-Palace*, et qu'il ne se sauve point », pensait Jaffeux. « Non. Il ne regarde pas de mon côté. Je suis bien caché, heureusement. Mais quand ce garçon me l'amènera, comme il dit ?... Ah ! cette fois, je ne le laisserai pas partir... »

Il considérait, en méditant ainsi, les deux issues, dont l'une donnait sur le dancing, l'autre sur le vestibule de l'hôtel. Et voici que l'orchestre se taisait, et que le danseur traversait toute la salle, pour arriver dans le petit salon. Il s'arrêta sur le seuil, en reconnaissant Jaffeux qui, s'avançant, lui mit la main sur l'épaule :

– « Reste, Pierre-Stéphane », lui disait-il, en le tutoyant comme autrefois. « Je ne te garderai pas longtemps, mais il faut que je t'aie parlé. Il le faut. »

Fut-ce l'autorité d'affirmation qu'il avait mise dans ce mot, répété ainsi ? Ou bien le jeune homme avait-il désiré lui-même, tous ces jours derniers, cette explication, sans oser la provoquer ?

– « Je vous écoute, monsieur », dit-il simplement.

– « Pas d'équivoque entre nous », reprit Jaffeux. : « tu te rappelles que je ne les aime pas. J'ai à te dire d'abord que suis au courant de tes rapports avec Gilbert Favy, de tous, tu m'entends. Il t'a manqué gravement, d'abord en te renvoyant brutalement les mille et quelques francs que tu lui avais prêtés, ensuite, en levant sa canne sur toi, tout à l'heure. Suis-je renseigné ? Il voulait venir ici te faire des excuses. Je l'en ai empêché. Votre colère, à tous deux, est trop récente. C'est moi qui te les apporte, ses excuses, et qui te demande de les accepter… »

– « Je ne lui en ai pas voulu, monsieur Jaffeux », dit Pierre-Stéphane, en haussant les épaules. « On n'en veut pas à un enfant qui ne sait pas ce qu'il fait, et qui, d'ailleurs vous est indifférent. »

– « Indifférent ? » reprit l'avocat. « À quels sentiments as-tu obéi alors, en l'aidant de ta bourse, pour régler sa dette de jeu, en essayant de l'arrêter sur une pente fatale, par cette parole d'honneur que tu lui as demandée, puis, en te chargeant de restituer un bijou qu'il avait volé, enfin en prenant ce vol à ton compte, – je sais cela aussi, – quand tu t'es accusé à sa place chez le commissaire, et auprès de sa sœur ?… Est-ce de retrouver ta propre aventure vécue devant toi, par ce garçon, à l'âge même que tu avais alors et dans des circonstances si pareilles, qui t'a ému ? Ou bien… » – Il hésita une minute « – Ou bien as-tu agi de la sorte par amour pour cette sœur, d'abord en secourant son frère, puis en lui cachant, à elle, la faute de ce frère ? S'il en était ainsi, confie-toi à moi, Pierre-Stéphane. J'ai été très dur pour toi, jadis, et je me le suis souvent reproché. Oui, bien souvent je me suis demandé : « Que fait-il ? Où vit-il « et comment ? » Je ne te cacherai pas que, te retrouvant danseur dans un *Palace*, puis apprenant la disparition du bijou et les soupçons de l'hôtelier, j'ai cru que c'était toi, le coupable. Je le croyais toujours, ce matin même et cet après-midi. Ce que je viens d'apprendre, et par la confession de Gilbert Favy lui-même, a changé mes idées. C'est le motif encore pour lequel je suis ici, pour t'aider à refaire ta vie. Je te répète : j'ai eu trop souvent des remords à la pensée que je te l'avais peut-être gâtée… »

– « Ne vous faites pas de reproches, monsieur Jaffeux », interrompit Pierre-Stéphane. « C'est vrai que vous avez été très dur pour moi. Je vous en ai voulu, sur le moment, à cause de ce qui a suivi. Plus tard, j'ai compris, en vivant, que vous aviez eu raison. Et je vous ai été reconnaissant. Vous avez réveillé en moi le sursaut de l'honneur, et pour toujours, en me faisant sentir l'énormité de la mauvaise action que j'avais commise. J'ai tant désiré vous rencontrer un jour, pour vous le dire, et puis, quand je vous ai vu, auprès des dames Favy, au *Mèdes-Palace*, j'ai eu peur. La honte m'a pris, comme si j'étais encore dans votre cabinet, à vous entendre prononcer la terrible phrase « Il manque ici…, » en montrant votre bibliothèque. J'avais tant besoin, moi, de retrouver un peu de votre estime !… Et je dois de la reconnaissance aussi à Gilbert Favy, puisque vous me la rendez, cette estime, sur son témoignage… Quant à la raison pour laquelle je me suis occupé de lui, c'est en effet la ressemblance entre nos deux aventures, mais je n'ai pas eu à son égard cette pitié que vous croyez. Encore une fois, cet étourdi m'est indifférent. J'ai pensé à sa mère à cause de la mienne. »

– « Tu as tremblé qu'ayant la même maladie ?… »

– « Elle ne reçût le même coup. Oui. Voilà pourquoi je lui ai avancé cet argent, pourquoi je me suis chargé de la restitution du bijou, pourquoi j'ai dit au commissaire que c'était moi, le voleur. Il parlait d'une enquête, si je ne nommais pas la personne de qui je tenais cette barrette volée. Je me suis nommé, moi, par terreur que cette enquête n'aboutît à découvrir le vrai coupable, et qu'alors Mme Favy… Qu'est-ce que ça me faisait, à moi le déclassé, d'être mal jugé ? Je vous répète je ne pensais qu'à maman. J'avais pitié d'elle, à travers cette mère. Vous trouverez cela bien étrange, sans doute. C'est ainsi… »

– « Mais quand Mlle Renée t'a interrogé, tu n'avais plus d'enquête à craindre. Tu savais bien qu'elle ne dénoncerait pas le fils à la mère, et tu t'es accusé de nouveau. Si tu ne l'aimes pas et si tu n'as pas voulu lui épargner le chagrin d'apprendre la défaillance de son frère, je ne comprends plus… »

– « C'est pourtant très simple, » dit le jeune homme. « C'est vrai qu'elle m'a beaucoup intéressé tout cet hiver. Je la trouvais, je la trouve toujours délicieuse de sensibilité fine, de grâce naïve, et si vibrante ! Alors j'ai été plus empressé auprès d'elle qu'il n'était raisonnable, je m'en rends compte aujourd'hui. Je voyais bien que je lui plaisais, et j'avoue qu'il me plaisait de lui plaire. Vous savez, c'est un des charmes de notre métier que ces demi-intimités, ces sympathies sans lendemain, qui vous laissent ensuite comme le parfum d'un tendre souvenir. Mais, quand j'ai vu Mlle Favy venir à moi, au moment où je quittais Prandoni, mon compte réglé, pour gagner mon taxi chargé de mes malles, j'ai compris, rien qu'à la regarder, que j'avais été très imprudent. Ne me prenez pas pour un fat, monsieur Jaffeux. Je n'en suis pas un. Je sais trop ce que c'est qu'un caprice. J'en ai ressenti quelques-uns. J'en ai inspiré plusieurs. Ce que j'avais devant moi, c'était la passion, c'était l'amour, et quand elle m'a interpellé, elle si modeste, avec cette voix, avec des larmes au bord des paupières, avec le tremblement de tout son être, je me suis dit : « Qu'ai-je fait ? » Ce sursaut de l'honneur, dont je vous parlais, je l'ai ressenti, là, devant cette enfant, et si fort ! Je n'avais pas eu le droit de troubler ce cœur, puisque moi, je ne l'aimais pas vraiment, que je n'avais eu pour elle qu'un joli caprice amusé. Dans un éclair, j'aperçus mon devoir : mettre entre elle et moi l'irréparable. J'en avais l'occasion. Je n'avais qu'à lui faire la même réponse qu'au commissaire. J'en ai eu le courage… Il m'en a fallu, je vous jure. Elle souffre à cette minute, la pauvre petite, j'en suis sûr, mais le mépris tuera cet amour, qui n'est qu'un commencement, et du moins, je n'aurai pas gâté sa vie. Vous avez là le symbole, monsieur Jaffeux, de ce qui a été ma règle constante, depuis que j'ai pris mon excentrique métier. Je vous répète : ne jamais, jamais manquer à l'honneur. S'il est excentrique, ce métier, c'en est un tout de même, et qui m'assure une indépendance honorable, par le travail. Il n'est pas de ceux que le monde accepte. Ça m'est égal, pourvu qu'en l'exerçant, moi, je reste propre à mes yeux. À ma pauvre mère mourante, j'avais juré que je redeviendrais un honnête homme. Il y a une honnêteté de l'argent. Je n'y ai plus jamais, jamais manqué. Il y en a une du cœur. Je l'ai eue vis-à-vis de cette jeune fille. Me comprenez-vous maintenant ?

– « Oui, » dit Jaffeux, « et aussi que tu ne peux pas continuer, avec ce que tu as dans l'esprit et dans le cœur, à mener cette absurde existence. Où te conduira-t-elle ? Que penseraient de toi ceux qui ont connu et vénéré le bâtonnier Beurtin, s'ils savaient que son petit-fils a pour profession de faire sauter les vieilles toquées dans les hôtels de saison, et, comme j'ai lu quelque part, « d'animer la piste ? » Tu n'as pas trente ans, Pierre-Stéphane, tu peux reprendre tes études de droit. Moi, je ne plaide plus autant, mais je donne des consultations, beaucoup, j'ai une correspondance, j'écris des articles dans des journaux spéciaux, j'ai besoin de secrétaires. Je t'offre de te reprendre comme tel. Tu prépares ta licence et ton doctorat. Tu t'inscris au barreau. Qui donc ira chercher Neyrial sous la toge de maître Pierre-Stéphane Beurtin ?… Et alors, écoute-moi bien. Si j'ai demandé à Gilbert Favy de dire la vérité à sa sœur et que celle-ci ait gardé pour toi le sentiment que tu as deviné, – et elle le gardera, c'est une âme profonde, – alors j'irai trouver le colonel Favy. Son fils t'en a parlé comme d'un homme tout d'une pièce. Je sais, moi, combien il est sensible, sous sa dure écorce. Je lui apprends qui tu es, ce que tu as fait, ton caractère, la passion de sa fille. Je la lui demande pour toi. Il te la donne. Est-ce un beau rêve ? Il ne dépend que de toi qu'il devienne une réalité. Qu'en dis-tu ?… »

Le jeune homme se taisait. Il était devenu très rouge, et Jaffeux le vit tout d'un coup porter la main à son visage, et ses doigts appuyés sur l'angle interne de ses yeux, écrasaient deux larmes.

– « Mais la voilà, ta réponse, » dit le vieillard. « Ce n'est pas vrai que tu n'aies pour Renée Favy qu'un caprice amusé. La vérité, c'est que tu ne t'es pas permis de l'aimer, et que tu l'aimes… Allons, sois courageux, car c'est l'être que d'oser espérer. Accepte mon offre… » – et comme Pierre-Stéphane demeurait toujours silencieux : – « Tu hésites ? Eh bien ! réfléchis. Je reste à Hyères. Dans quarante-huit heures je reviendrai à l'*Eden*. Je n'apprendrai la vérité à Renée Favy qu'une fois ta résolution prise, qui, j'en suis sûr, sera celle que je désire. »

– « Peut-être, » dit Pierre-Stéphane.

– « Certainement, » insista Jaffeux. « Mais va, on te réclame, et n'aie pas l'air d'avoir pleuré. »

– « En effet, » dit le pseudo Neyrial en hochant la tête ironiquement. « Je suis un danseur mondain, et si un danseur mondain n'a pas le sourire, qui l'aura ?… Adieu, patron, » – et il serra longuement la main à Jaffeux, en l'appelant du nom qu'il lui donnait jadis. Puis, gravement : « – « Merci. Vous êtes bien celui dont maman me parlait avec tant de respect : une âme d'apôtre ! »

– « D'ami, tout simplement, ami de ton grand-père, ami de ta maman, ami de toi. Après-demain, donc, à la même heure. »

– « C'est convenu, » dit le danseur ; et, d'un geste filial, il porta les doigts de son interlocuteur à ses lèvres, puis s'élança hors du réduit où ils venaient d'avoir à mi-voix, entre deux tables encombrées de chapeaux et de pardessus, un dialogue si chargé pour tous deux d'émotions intenses. Il était déjà dans la salle, et s'inclinait devant une jeune femme, abordée au hasard. Jaffeux regarda longuement ce couple glisser parmi les autres, balancé au rythme de la musique. Pierre-Stéphane était redevenu Le Neyrial des *fox-trott* et des *shimmy*, par ses pieds qui suivaient si exactement la mesure, par la grâce élégante de sa souple allure et de ses gestes ; mais son masque ne traduisait plus ce plaisir animal du mouvement, comme le premier soir, au thé-dansant du *Mèdes-Palace*. Une expression nouvelle y révélait un trouble intérieur, dont Jaffeux ressentit en lui-même le contre-coup.

XI

« Pourvu qu'il accepte, » se disait-il en s'en allant. « Alors je pourrai dire la vérité à cette pauvre petite Renée, et comme cela réchauffera mon vieux cœur ! »

Il était encore dans ces sentiments quand l'automobile le déposa devant l'entrée du *Mèdes-Palace*. Là, il fut tout de suite abordé par Gilbert Favy qui, évidemment, le guettait.

– « Eh bien ! vous l'avez vu ? Vous lui avez parlé de moi ? Il me pardonne ?… »

– « Il a compris, et du moment que vous pensiez ce que vous pensiez…

– « Je peux donc aller le voir, maintenant ? » interrompit Gilbert.

– « Vous avez confiance en moi, » reprit Jaffeux après une pause. « Ne le revoyez pas en ce moment… » – Et, mettant toute son affectueuse autorité dans son accent :

– « Attendez quarante-huit heures, je vous expliquerai pourquoi. J'ai formé un projet, celui de l'arracher à ce déraisonnable métier, qui n'est pas digne de lui… J'ai l'intention de le reprendre comme secrétaire. Il achèvera son droit. Il sera avocat. Je le lui ai dit, ce projet. Il hésite encore. Je le sais par expérience, dans ces grandes résolutions, où il s'agit de changer sa vie il faut faire oraison, comme disent les prêtres, – tout simplement rester en tête-à-tête avec soi-même. C'est son cas, dans ce nouvel hôtel, où il s'est installé aujourd'hui. Il n'y connaît personne encore. Respectez sa solitude… »

– « Je vous obéirai, monsieur Jaffeux. Mais laissez-moi vous demander un service… »

– « Lequel ? » interrogea l'avocat.

– « De parler à ma sœur, vous, de lui apprendre la vérité. Je la vois mortellement triste. Elle est si fière ! Je me rends compte qu'elle a une telle honte de s'être intéressée à un escroc, et, moi, j'ai une honte pire à permettre qu'elle croie ce qu'elle croit de Neyrial, quand c'est moi qui... »

Il s'arrêta. Le souvenir de sa défaillance lui était trop pénible à évoquer.

– « Je lui parlerai, » dit Jaffeux, « je vous le promets. Mais là encore, il faut attendre un peu. Ce chagrin que vous éprouvez à la voir accuser quelqu'un de la faute que vous avez commise vous fait horreur. Estimez-vous-en, c'est une autre expiation. Supportez-la. Elle achève d'effacer cette faute. Mais, avertir Renée aussitôt, c'est risquer qu'elle ait pendant quelques jours, avec vous, une attitude qui étonne votre mère. Mme Favy avait des soupçons sur vos pertes au jeu ; il ne faut pas risquer de renouveler. »

– « Alors quand ? »

– « Rapportez-vous-en à moi, » dit l'avocat.

Et, remonté dans son appartement : « Le brave cœur ! » songeait-il ; « c'est comme Pierre-Stéphane, le repentir l'aura guéri. Quelle vérité profondément humaine dans ce que l'Église enseigne du rachat par l'aveu et la contrition ! Je n'aurai pas de plus sûr allié que lui auprès du colonel pour ce mariage. Mais la mère ?... Pour qu'elle l'accepte, cette idée, il faudra lui apprendre, à elle aussi, ce qu'a fait Gilbert. Quel coup à lui porter !... Bah ! Nous avons le temps pour nous. Dans un an, dans deux, ce sera du passé très lointain. Gilbert se sera bien conduit, car il voudra maintenant racheter à tout prix son aberration. La grande affaire est que la pauvre femme ne soupçonne rien en ce moment. Pourvu que ces deux enfants soient assez maîtres d'eux-mêmes pour se dominer ? »

« Ils l'ont été, maîtres d'eux-mêmes, ils l'aiment tant ! » se disait-il quelques heures plus tard, après une soirée passée avec Mme Favy, Renée et Gilbert, dans un des petits salons de l'hôtel. Le grand, celui où se donnaient les thés-dansants, était ouvert et plein de monde. C'était la mère qui, par une tendre sollicitude, avait choisi cette autre pièce où les souvenirs redoutés ne s'évoquaient pas pour la jeune fille. Celle-ci s'occupait à tricoter, un peloton de laine sur ses genoux, sans que son profil, penché sur l'ouvrage, trahît rien d'autre qu'une attention absorbée. Gilbert causait, avec un rien d'excitation et la gaieté jouée d'un jeune Français moqueur qui raille doucement les étrangers.

– « Comme vous aviez raison, monsieur Jaffeux, de dire que nous sommes un pays colonisé ! Demandez à Renée comment s'appelle cet ouvrage auquel elle travaille… »

– « Un pull-over, » dit Renée.

– « Voyez, » reprenait Gilbert, « il y a trois mois c'était un sweater ! Tout le dictionnaire anglais y passera. Pourquoi pas tricot ? Le mot était si joli ! »

– « Oui, » insistait Jaffeux : tricot, petite trique, bâton gros et court. C'est l'aiguille en bois. »

La mère écoutait ces propos, qui semblaient attester tant de liberté d'esprit, et sa détente intérieure se manifestait par le regard apaisé de ses yeux moins brillants, par la douceur moins nerveuse de son sourire.

« Si ce calme pouvait durer ? » se répétait Jaffeux, après cette soirée et durant la journée qui suivit, et se rappelant les lectures faites dans des livres spéciaux, quand il s'inquiétait de Mme Beurtin : « Il arrive que certains troubles du cœur sont purement nerveux, sans rien d'organique… C'est son cas peut-être, et alors ce mariage ne rencontrera pas cet obstacle, – le plus infranchissable de tous. Le premier, c'est le consentement de Pierre-Stéphane, mais celui-là est tout franchi. »

Il en était là de cette espérance quand, le surlendemain de sa visite à Tamaris et comme il venait de commander à l'hôtel une voiture pour y retourner, le portier lui remit une lettre, dont la suscription le fit tressaillir. Il reconnaissait l'écriture de Pierre-Stéphane Beurtin. Son émotion fut telle que ses mains tremblaient en déchirant l'enveloppe.

– « Pourquoi écrit-il, quand je lui ai donné rendez-vous là-bas ? » se demanda-t-il.

Voici les pages qu'il lisait maintenant, assis sur un des bancs du jardin, à quelques pas de l'allée, où avait eu lieu la douloureuse scène entre Renée et le jeune homme. Et les sons d'un piano lui arrivaient. Déjà l'hôtelier avait engagé un nouveau danseur, qui donnait sa leçon en ce moment, accompagné par les mêmes airs, joués par la même Mlle Morange, plus allègrement et plus vivement. N'avait-elle pas triomphé de sa rivale ?

Tamaris, vendredi.

Demain, quand vous recevrez cette lettre, mon cher Patron, je serai bien loin d'ici. Je ne vous donne pas mon adresse, parce que je désire ne pas recevoir de réponse de vous. Quand vous l'aurez lue, cette lettre, vous comprendrez pour quoi j'ai ce désir, et qu'il n y a là-dedans ni ingratitude envers vous, ni méconnaissance de votre geste si humain : cette offre de me refaire une vie avec un être charmant, dont vous voulez bien croire que je ne suis pas trop indigne. Mais je viens de descendre en moi-même, comme vous m'y invitiez. J'ai mis la main sur ma conscience, j'ai scruté mon cœur dans son repli le plus intime et j'ai reconnu que cette offre, je ne pouvais pas, je ne devais pas l'accepter. Oui, vous m'avez dit : « Descends en toi-même, et avoue-toi que tu aimes Mlle Favy. » Et moi, je vous ai dit : « C'est bien vrai que, depuis des années, je n'ai jamais rencontré une jeune fille dont la grâce m'ait ému davantage, pas une dont la sensibilité m'ait paru plus fine et plus sincère. » Mais la preuve que la sympathie attendrie que j'ai pour elle n'est pas de l'amour, c'est qu'en imaginant la réussite du plan si généreux que vous m'avez proposé, la fondation d'un foyer avec elle, je comprends que ce beau rêve, – c'est votre mot, – ne serait pas pour moi un beau rêve. Ce serait, – prenez ce mot dans son sens le plus brutal, – un insupportable emprisonnement !

C'est que, voyez-vous, l'existence que je mène depuis cinq ans tantôt et que vous qualifier d'absurde, – remarquer, je ne m'en offense pas, – m'est devenue un besoin. À aucun prix, je ne voudrais la quitter. Vous me considérer comme un déclassé. Mais oui, j'en suis un, et par toutes les fibres de mon être, bien autrement, bien plus radicalement que vous ne l'imaginez. Déclassé, ce n'est pas la faute commise autrefois chez vous qui me rend tel, c'est une raison plus profonde que je voudrais essayer de vous faire, non pas accepter, mais au moins comprendre. Elle ne m'est pas particulière et, si les hasards ont voulu qu'une crise morale que j'ai traversée et qui dure toujours m'ait poussé à choisir mon actuel métier, cette crise ne m'est point personnelle. Croyez-moi, elle m'est commune avec beaucoup des jeunes gens qui, comme moi, ont fait la guerre. Cet état d'esprit les pousse dans des routes bien différentes de la mienne. La triste vérité, c'est que, pour avoir senti la sinistre, mais formidable poésie de ces quatre années tragiques, ils ne peuvent plus s'adapter à la médiocrité de l'embourgeoisement. Tenez, moi, je ne cherche pas à excuser l'affreuse action que j'ai commise chez vous. Mais pourquoi l'ai-je commise ? Parce que je jouais. Et pourquoi jouais-je ? Parce que la monotonie de ma vie d'alors et sa sécurité m'étaient, je m'en rends compte aujourd'hui, et je répète mon mot : insupportables. Toujours l'emprisonnement ! J'avais trop goûté l'ivresse du risque. Vos deux secrétaires, mes camarades, étaient bien gentils pour moi, mais quelle différence avec la profondeur et le frémissement des amitiés conçues dans la tranchée, et sous les obus, dans ce compagnonnage d'un mortel danger qui nous haussait tous au-dessus de nous-mêmes ! Ce ne sont pas des phrases, je vous assure, que je vous écris ici. Il y a certains noms, Soissons, Heurtebise, Craonne, Vailly, que je ne pouvais pas rencontrer dans un journal, sans qu'il s'en dégageât une nostalgie à me briser le cœur. J'ai ressemblé à ces amoureux qui, trahis par une maîtresse adorée, demandent l'oubli à l'abject alibi de l'alcool, et ce qu'il y a de plus noble en eux, leur désespoir, les entraîne à se dégrader. C'est mon histoire. Et puis, il y a eu la catastrophe, ce vol, la scène avec vous, la mort de maman, et son dernier mot : « Jure-moi que tu redeviendras un honnête homme... » À ce serment-là, je vous l'ai dit, je n'ai jamais manqué. J'y manquerais, si je cédais à l'attrait que je ressens pour cette jeune fille, qui me donnerait, elle, tout son cœur, et moi, ne voyez-vous pas déjà comme c'est peu ce que je pourrais lui donner du mien ?

J'arrive ici à un aveu dont vous jugerez qu'il n'est pas à mon honneur, mais je vous dois d'être sincère avec vous, dans cette minute, je dirais presque jusqu'au cynisme, si tout de même le mot n'était pas bien sévère pour ce que vous considérez sans doute comme une légèreté incompatible avec ce que je viens de vous déclarer sur la guerre, mais qu'y puis-je ? C'est de cette façon que je sens... Cette profession de danseur mondain, j'y suis entré à Londres, pour le compte d'un Anglais, que j'avais connu à l'ambulance où nous étions, blessés tous les deux. Il gagnait sa vie, comme moi aujourd'hui, dans les palaces. Étant souffrant, il me demande de le remplacer. J'avais toujours eu le goût passionné de la danse et de tous les sports. J'accepte et j'éprouvai aussitôt que ce métier allait me donner à moi cet alibi, mais innocent cette fois, dont j'avais tant besoin, et que je m'y complairais. Oh ! ce n'est pas pour des raisons très hautes ! Ma confession ne serait pas complète si je ne vous le disais pas. Je tiens de mon père des goûts de luxe. Celui des palaces n'est qu'un à peu près, je le sais bien. C'est quand même du luxe. C'est de l'élégance autour de moi, un décor joli, des toilettes. J'aime le changement, les voyages. Deux fois par an, j'émigre, si je veux, vers un autre pays, hier l'Écosse, aujourd'hui la Riviera, demain la Suisse, après-demain l'Égypte, si ça me chante. Ne vais-je pas à Paris traiter pour un engagement au Caire, l'hiver prochain ?

Et puis, il y a la danse. Vous ne soupçonner pas quel sport enivrant ce peut être, quelle indicible volupté que celle du mouvement rythmé. Je me sens devenir triste ? Je danse, et ma mélancolie s'en va. On m'a gravement manqué, tenez ce nigaud de Gilbert Favy, avant-hier ? Je danse et ma colère contre ce malheureux s'apaise. Et puis, on ne danse pas seul, et c'est encore un autre intérêt, si spécial, celui d'une curiosité toujours renouvelée. Il n'y a pas deux femmes identiques dans leur façon de danser. Je n'ai pas besoin de causer avec elles pour les étudier. Un bon danseur ne cause pas, d'abord, ni les bonnes danseuses ; mais si vous saviez comme leur personnalité se révèle à leur allure, à leur abandon ou à leur défense ! Celle-ci était agitée et nerveuse. Elle danse et vous la sentez se détendre, se régulariser. Celle-là était indolente et lassée. Elle danse et vous la sentez renaître, comme revivifiée. Et les différences de race, comme on les saisit, dans l'inconscient aveu du geste ! Une Française n'a jamais dansé comme une Anglaise, ni une Russe comme une Espagnole, ni une Italienne comme une Orientale. Mais voilà que je vous fais un cours de professeur, au lieu de vous dire tout uniment qu'être assis chez vous à un bureau devant des dossiers serait pour moi un accablement et que le « beau rêve », je vous le répète, ne m'enchanterait pas assez l'imagination pour me faire accepter cette servitude. Je vois cela devant moi clair comme ce jour et c'est l'indice que mon devoir est de vous refuser.

Je m'en vais donc, mon cher Patron. J'avais prétexté au Mèdes-Palace une crise de santé pour me dégager, j'ai payé le dédit. Je vais recommencer avec le directeur d'ici. Grâce au ciel, j'ai pu mettre assez d'argent de côté, pour que ces menus sacrifices me soient indifférents, me procurent même un tout petit plaisir, qui n'est pas seulement de vanité celui de me sentir plus désintéressé que les mercantis qui m'emploient. Encore une contradiction : l'embourgeoisement me fait horreur, et je tiens à me prouver que je garde intacts tous les scrupules de la délicatesse *bourgeoise.*

Et maintenant, je vais me contredire encore : quel puzzle, dirait une des innombrables Anglaises qui fox-trottent avec moi ! Croiriez-vous qu'il m'est pénible, très pénible que Mlle Favy garde de moi l'image que j'ai pourtant voulu lui donner : celle d'un bandit de palace, volant des bijoux dans les chambres des clientes ? Et cependant, si je n'avais pas pris à mon compte cette escroquerie, commise par son frère, quel drame entre eux, que leur mère eût certainement deviné ! Et puis, si, réellement, elle a conçu, pour le dévoyé que je suis, ce sentiment auquel vous croyez, le plus sûr moyen de l'en guérir, c'est le mépris. Je devrais m'en réjouir, pour être logique. Voilà le puzzle : j'en suis désolé. Le temps viendra où son exaltation d'aujourd'hui aura cessé, où un autre homme, plus fait pour elle, aura touché son cœur. Elle se fiancera. Elle se mariera. Alors, monsieur Jaffeux, vous qui venez d'être si bon pour moi, soyez-le encore. Dites-lui qui j'étais, et que je n'ai pas fait l'action dont je me suis accusé moi-même. Si pourtant vous estimez qu'il est mieux de la laisser à jamais dans son erreur, mettez que je ne vous ai rien demandé. Le vrai point noir dans ma pensée, c'était votre opinion sur moi, à vous l'ami de ma chère maman. Vous êtes venu me dire que cette opinion a changé, que vous me rendez votre estime. Merci. Vous ne saurez jamais combien je vous en reste reconnaissant,

Votre pauvre danseur mondain,

P. S.

XII

Quelle lettre, et combien significative, par l'étrangeté des contradictions révélées chez celui qui l'avait signée de cette appellation, ironique et implorante à la fois – un sens de l'honneur, comme il avait dit, capable des sacrifices les plus magnanimes, et une incurable frivolité ; une délicatesse poussée jusqu'aux plus romanesques scrupules et un goût passionné de luxe, fût-il le plus vulgaire ; un orgueil justifié de son courage sur le champ de bataille et une telle inintelligence du devoir national dans la paix ! Jaffeux en demeurait si étonné, qu'il relisait ces phrases sans presque croire qu'elles fussent réelles. Il avait, au cours de sa carrière d'avocat, étudié trop de documents pour ne pas attacher une importance à la physionomie d'une écriture. « Pas de doute, » était-il contraint de se dire, en considérant ces caractères, tracés avec une si ferme netteté, « ce sont bien ses vrais sentiments et réfléchis. Il n'y a pas là trace d'impulsion. Oui, cette rentrée dans une vie saine et réglée, ce mariage dans un bon milieu, c'était un beau rêve, mais un rêve à moi. N'y pensons plus... »

Une remarque, pourtant, à demi inconsciente, le fit se lever tout d'un coup et marcher vers le bureau de l'hôtel, hâtivement. Il venait d'observer, dans la terminaison des dernières lignes, ce fléchissement que les graphologues interprètent comme un indice probable de lassitude morale...

« Est-il parti ? » se demandait-il maintenant. « Peut-être a-t-il hésité, sa lettre envoyée ? Il faut, en tout cas, le savoir. Je vais communiquer avec Tamaris. »

La cabine téléphonique de l'hôtel se trouvait tout à côté de la loge du concierge. Comme Jaffeux s'en approchait, il put voir que Gilbert Favy et le directeur échangeaient à la porte des propos assez vifs, à juger par le geste nerveux du jeune homme et l'expression contractée de l'Italien. Ils se séparèrent à l'arrivée du nouveau venu, qui eut aussitôt l'explication de cette scène. Gilbert, toujours excité, s'avançait vers lui, sans souci du regard dédaigneux dont le poursuivait son interlocuteur de tout à l'heure, qui rentra dans la loge prendre son courrier :

– « C'est mon bon génie qui vous amène, monsieur Jaffeux, » disait-il. « Une minute encore, et Dieu sait ce que j'allais raconter à ce Prandoni !… Mais il faut que je vous fasse ma confession… » – Et il entraînait l'avocat dans le jardin : – « Pardonnez-moi. J'ai manqué à ma promesse. Renée m'a parlé ce matin de Pierre-Stéphane Beurtin dans des termes tels, avec un si visible dégoût et tant de douleur, que je n'y ai pas tenu. Si vous l'aviez entendue, comme moi, prononcer, et avec quel accent, de ces phrases qui percent le cœur : « La pire des souffrances, c'est de mépriser à fond quelqu'un que l'on ne peut s'empêcher d'aimer ! » Par pitié pour elle, par horreur de moi-même et de mon hypocrisie, par besoin d'expier, – est-ce que je sais ? – je lui ai avoué la vérité, toute la vérité. »

– « Et alors ? » demanda Jaffeux.

– « Alors, elle a été si bouleversée qu'elle n'a pas pu rester debout. Dès mes premiers mots, elle s'était laissé tomber sur une chaise, toute tremblante, sa respiration entrecoupée, et sans une parole. Chaque fois que je m'interrompais pour lui demander : « Mais tu te sens mal, Renée ? » elle m'ordonnait, d'un geste, de continuer, jusqu'à une seconde où elle appuya une de ses mains sur ses lèvres, et, de l'autre, elle me montrait la porte de la chambre de maman Elle avait entendu celle-ci s'approcher. Monsieur Jaffeux, j'ai vu un miracle. La pauvre petite s'est levée. Elle a marché vers sa table, où elle avait posé des instantanés, pris avant-hier. Vous vous rappelez : ces groupes où nous figurons avec vous ? Et, quand elle se tourna vers maman qui entrait, ce fut avec un sourire, et sa voix se faisait toute naturelle, toute calme, pour dire : « je voulais consulter Gilbert, afin de savoir si ces photographies valent la peine d'être envoyées à papa, – « quel est votre avis, Mimiche ? »

Et comme il s'interrompait, trop ému encore de l'impression qu'il gardait de cette scène :

– « Prenez exemple sur Renée, » fit Jaffeux, « ne vous exaltez pas. »

– « Prendre exemple ? » protesta le jeune homme. « Ah ! monsieur Jaffeux, vous ne me direz plus cela, quand vous saurez. Cette domination de soi, elle n'était qu'apparente. La véritable exaltée, c'est elle, et d'une exaltation qui m'épouvante, il y a de quoi. Vous en jugerez. Écoutez ce qu'elle m'a dit, aussitôt seuls : « Gilbert, nous devons une réparation à M. Neyrial, et pas seulement toi, mais moi, puisque, sachant ce que je sais, je laisse mère parler de lui comme elle vient d'en parler… » – Durant les quelques minutes passées avec nous, maman avait fait une allusion trop directe aux incidents de ces derniers jours, en les interprétant de la manière que vous devinez. – « Permettre à quelqu'un de condamner un innocent, a continué Renée, et quand on a la preuve de cette innocence, ne pas la donner, c'est une honte. Donner à maman cette preuve, je ne le peux pas. Il faudrait te dénoncer et risquer de la tuer. Mais ce silence forcé m'impose une dette envers M. Neyrial, et je veux la lui payer, en m'excusant auprès de lui, en l'assurant de mon estime et de mon admiration pour sa générosité à mon égard. Pourquoi s'est-il accusé faussement devant moi ? Parce qu'il a eu peur que de savoir ta faute me fît trop de mal, et c'est vrai que j'aurais été désespérée de l'apprendre par un autre que par toi. Ta franchise, tout à l'heure, m'a empêchée de trop souffrir. J'ai compris que tu avais eu un égarement d'une minute et qui ne recommencera pas. » Ah ! monsieur Jaffeux, ce que c'était pour moi d'entendre des mots pareils ! Et elle insistait : « Il faut que M. Neyrial sache ce que je pense de lui, il le faut, je le lui « dois. » – « Tu ne vas pas lui écrire ? » interjetai-je. – « Non. Une lettre peut se perdre. Ce serait trop coupable, a cause de papa, de courir cette chance. Ce que je veux, c'est que nous allions ensemble, toi et moi, à Tamaris. Maman nous conseillait une promenade en automobile pour cet après-midi, où il fait si beau. Nous irons à Toulon, en passant par *l'Eden-Hôtel*, puisqu'il s'est engagé là comme danseur. » – « Tu veux le voir ? » m'écriai-je. Et à l'accent dont elle a répété : « Oui, je veux le voir, » j'ai senti qu'elle l'aimait, avec une passion qui m'épouvante, je vous répète. Je l'avais bien senti déjà, quand vous m'aviez parlé, mais pas à ce degré. Et puis on pouvait espérer de la guérir alors, en lui disant qu'elle avait affaire à un intrigant, qui n'en voulait qu'à sa fortune. Je l'ai tant cru ! Vous aussi. Maintenant nous savons le contraire… Que lui répondre alors ? La voyant dans cet état, et pour la calmer, je lui ai dit que j'allais téléphoner à Tamaris et prendre un rendez-vous. « Ce sera toujours du temps de gagné, » ai-je pensé. « Je parlerai ensuite à M. Jaffeux. Il m'aidera. Le concierge de l'hôtel se charge de mon téléphonage. Heureusement, Renée n'était pas venue avec moi. De la loge on entend le piano de la leçon de danse. Cette musique me le rappelle trop, m'a-t-elle dit. C'est heureux qu'elle ne fût pas là. Aurait-elle pu cacher son émotion, quand on a répondu de *l'Eden-Hôtel* que Neyrial était parti sans laisser d'adresse, et son indignation à entendre Prandoni, qui arrivait juste à ce moment, commenter ce départ : « Qu'est-ce qu'il a encore fait, cette canaille ? » Moi-même, je n'ai pas pu me retenir. J'ai, comme elle, voyez-vous, un tel sentiment de notre dette vis-à-vis de mon sauveur, car il m'a sauvé. – « Pourquoi parlez-vous de M. Neyrial ainsi ? » ai-je dit à Prandoni. « Vous n'en avez pas le droit. » Était de sa part une allusion à la barrette disparue ? Je l'ai supposé, et, s'il avait précisé, je crois bien que je me serais trahi. Supporter que ce soupçon continue à peser sur lui, ça, jamais ! Vous êtes arrivé, heureusement, et Prandoni n'a plus rien dit. Mais maintenant, il faut que j'annonce à Renée ce départ de Neyrial. Comment va-t-elle réagir ?… Et maman, que je vois déjà si troublée par tout le mystère qu'elle pressent ?… Et que signifie son départ, à lui ? Il ne vous en avait pas parlé ? »

– « Non, » dit Jaffeux. Tandis qu'il écoutait le jeune homme lui raconter, avec une fièvre grandissante, les épisodes de cette matinée, il tenait dans sa main la lettre reçue tout à l'heure. Allait-il la montrer à celui que Neyrial traitait si dédaigneusement de nigaud, de malheureux ? Ce serait l'atteindre dans un point sensible de son amour-propre. Sa longue expérience l'avait trop appris au vieillard : ces toutes petites piqûres font si aisément des plaies dans des sensibilités malades comme était celle de Gilbert à ce moment. Que, plus tard, dans une conversation, cette mesquine mais cuisante ulcération le rendît moins amical pour Pierre-Stéphane, et l'union intime, si nécessaire dans cette crise entre le frère et la sœur, risquerait d'en être diminué. Et Gilbert reprenait :

– « Conseillez-moi, monsieur Jaffeux. Ne vaudrait-il pas mieux lui dire que je n'ai pas obtenu la communication ? Et vous la prépareriez, en lui racontant votre visite à Neyrial, votre offre, et que vous appréhendez qu'il ne se dérobe… »

– « Où vous attend-elle ? » demanda Jaffeux.

– « Dans le petit salon, au fond, où il n'y avait personne. »

– « Eh bien ! j'y vais, » fit l'avocat ; et en lui-même, tandis qu'il gagnait, à travers les couloirs de l'hôtel, la pièce désignée par Gilbert : « Que vais-je dire à cette enfant ? » Son vieux cœur était remué d'une telle pitié ! Les hommes qui, tout jeunes, n'ont pas vécu leur vie sentimentale, gardent en eux, au soir de leurs jours, des réserves de sympathie émue pour les romans devinés autour d'eux. « Pauvre chère Renée, » se répétait-il, « quand elle saura que Pierre-Stéphane n'est plus à Tamaris, ce sera un écroulement.

Qu'attendait-elle de cet entretien ?… Mais elle l'a dit si ingénument, de le voir qu'il soit parti ainsi et sans laisser d'adresse, c'est la nuit, c'est la mort… Comment lui apprendre cela ? Quels mots trouver qui ne la déchirent pas ?… Lui montrerai-je la lettre ? Elle lui sera si douloureuse ! » Et, sa judiciaire intervenant : « Oui, mais cette lettre la mettra devant du vrai, et, dans ces crises passionnelles, ce qu'il faut arrêter d'abord, c'est le travail de l'imagination. Le réel mutile, mais il circonscrit le malheur. Son attitude me guidera… »

La pièce où se tenait la jeune fille, espèce de réduit aux murs garnis de rayonnages, justifiait l'appellation de *Library* inscrite sur la porte vitrée, par de longues rangées de volumes, journaux illustrés et romans populaires, dont l'aspect seul dénonçait la provenance britannique. Une large fenêtre cintrée, au fond, donnait sur la colline contre laquelle était bâti le palace. Renée regardait, immobile, le revêtement grisâtre des pins d'Alep, de ces yeux fixes qui ne voient que leur pensée. Le bruit du battant, poussé par le nouveau venu, ne parut pas lui être arrivé. Il y a deux sortes d'attente, aux heures décisives :

celle qui s'agite dans une anxiété névropathique et celle qui se ramasse dans une concentration. La seconde est propre aux cœurs résolus. Jaffeux demeura quelques instants à considérer cette image de l'angoisse courageuse. La ressemblance de cette enfant de vingt ans avec son père se faisait saisissante à cette minute. Une énergie se devinait derrière ses traits délicats, héritée de celle d'un dur ouvrier de guerre. Cette analogie décida du coup l'avocat, et comme elle se retournait enfin :

– « C'est votre frère qui m'envoie, » commença-t-il. « On a

téléphoné à Tamaris, et je vous apporte la réponse... »

Un flot de sang était monté aux joues trop pâles de Renée, et une révolte frémissait dans sa voix pour répondre, avec la pudeur d'un amour froissé d'être découvert :

– « Gilbert vous a parlé ? Il vous a dit... »

– « Mon enfant, » interrompit Jaffeux, « croyez-vous qu'il m'ait rien appris ? Vous ne savez pas comme je vous comprends, Renée, et comme je vous suis dévoué. Écoutez Je suis allé à Tamaris, il y a deux jours, de vous. Ces excuses que vous croyez devoir à Pierre-Stéphane, vous et votre frère, je les lui devais, moi aussi, comme vous, plus que vous. Et je ne lui ai pas fait que des excuses. Je lui ai offert de le reprendre comme secrétaire, de l'aider à refaire sa vie. Vous voyez si j'ai changé d'idée à son endroit. J'ai osé davantage. À votre émotion, dans votre dernière entrevue, il avait deviné qu'il vous intéressait beaucoup. Je me suis permis de lui dire qu'il avait là, pour lui, une chance d'un grand bonheur à mériter un jour. Vous m'avez compris ?... Je lui ai donné quarante-huit heures pour réfléchir. Mais, » conclut-il, en tendant à la jeune fille la lettre de Neyrial « lisez sa réponse que je viens de recevoir, et qui me dit ce que le téléphone vient d'apprendre à votre frère, et que celui-ci m'a chargé de vous rapporter. Il est parti de Tamaris et n'a pas laissé même d'adresse... »

La jeune fille avait pris la lettre sans une parole. Elle commença de la lire. Le battement de ses paupières trahissait seul une émotion qui éclata, cette lecture achevée, par un cri jeté avec une ardeur sauvage :

– « Ah ! j'aurais préféré qu'il eût fait tout ce que j'ai cru qu'il avait fait, et qu'il m'aimât !... »

Et, froissant la lettre de sa main crispée, sans la rendre, elle sortit de la pièce, si rapidement qu'il eût fallu courir pour la suivre. Du côté du corridor, des voix s'approchaient. Un geste inconsidéré risquait de provoquer chez les gens qui causaient là un étonnement, une curiosité peut-être. D'ailleurs, que dire à une femme affolée de douleur ? D'un pas qui se voulait paisible, l'avocat s'acheminait donc vers la loge où il comptait retrouver Gilbert, quand il le vit qui marchait vers la porte de l'ascenseur, soutenant Renée défaillante et appuyée à son bras. La lettre était toujours dans la main libre de la pauvre enfant. Au moment où la machine s'ébranlait, le jeune homme aperçut l'avocat, et d'un geste lui montra sa sœur, littéralement écroulée sur la banquette.

– « Par bonheur, j'ai pu la faire rentrer dans sa chambre, sans que maman nous ait entendus, » disait-il dix minutes plus tard à Jaffeux. « Maintenant, elle est sur son lit, toutes fenêtres fermées. Elle a prétexté l'une des grosses migraines auxquelles elle est sujette. « C'est le soleil qui lui aura fait « mal, » m'a dit maman. Mais demain ?… Mais les jours suivants ?… Vous voyez comme elle l'aime, pour que la simple nouvelle de son départ l'ait mise dans cet état. Je vous le disais, monsieur Jaffeux. Qu'elle ait pu cacher son émotion tout à l'heure, quand je lui ai appris la vérité et que maman est entrée, ç'a été un miracle. Ça ne se recommence pas, ces miracles-là… »

« Il s'est recommencé pourtant, le miracle. » se disait Jaffeux le lendemain matin, en regardant Mme Favy se promener avec sa fille et son fils, dans l'allée même où s'était jouée la scène, toute voisine d'être tragique, entre Pierre-Stéphane, Gilbert et Renée. Les hauts palmiers agitaient doucement leurs longues branches souples sur ce groupe familial qu'aucune secrète angoisse ne semblait tourmenter. Dans l'air, vibrant de soleil, passaient, comme la veille, les airs des danses joués au piano par Mlle Morange, et, en se retournant, l'ancienne élève de Neyrial aurait pu voir le nouveau danseur mondain du *Mèdes-Palace* attaquer un *fox-blues* avec miss Oliver, la robuste et jolie Anglaise, dont la leçon succédait, l'autre jour, à la sienne. Mais elle ne se retournait pas, et elle causait, sinon gaiement, du moins naturellement, avec sa mère, qui, de toute évidence, ne soupçonnait rien du nouveau choc reçu la veille par son enfant. L'avocat, lui, savait avec quelle violence cette sensibilité avait été ébranlée, et aussi quel rétablissement moral s'était opéré en elle. Une demi-heure auparavant, et comme il allait et venait sur la terrasse de l'hôtel, en se demandant quels seraient aujourd'hui les rapports de la mère et de la fille, il avait vu celle-ci apparaître et marcher droit vers lui, les traits encore lassés par une insomnie qui se résolvait dans une volonté réfléchie et courageuse. Cet abord même l'attestait.

– « Je vous cherchais, monsieur Jaffeux, » avait-elle dit, « pour vous rendre cette lettre, » – elle la lui tendait, – « et pour vous remercier, » – et, sur un geste du vieillard, – « oui, pour vous remercier de me l'avoir fait lire. Elle m'a éclairé mon propre cœur. Je l'avais emportée sans savoir ce que je faisais, et la présence de mon frère m'a rendu la conscience de mon acte vis-à-vis de vous. Comment empêcher qu'il ne me demandât : « Quel est ce papier ? » Et que lui répondre ? Heureusement, il était lui-même si troublé qu'il n'y a pas pris garde, et moi j'ai passé la nuit à lire et à relire toutes ces phrases qui m'avaient arraché ce cri que je vous demande d'oublier, j'en ai honte. Oui, je les ai relues mot par mot, vingt fois, cent fois, ces phrases, et, à travers elles, j'ai compris que j'avais été la dupe d'un mirage. C'est M. Beurtin qui a raison, nous n'étions pas faits pour être heureux l'un par l'autre. Ce n'est ni son passé, ni son métier actuel qui nous séparent. C'est quelque chose de bien plus profond : nos façons de sentir sur le fond même de la vie. Il a de l'honneur. Il a de la générosité. Il a fait la guerre bravement, mais, dans le souvenir qu'il en garde, quelle indigence morale ! Voilà ce que j'ai fini par sentir si nettement. Qu'a-t-elle été pour lui ? Un accident héroïque. Rien de plus. Pour les hommes de la race de mon père, de cette race dont j'ai le sang dans les veines, se battre, c'est servir. Pour celui qui a écrit cette lettre, se battre, ç'a été une aventure exaltante, rien de plus. Il en regrette l'excitation. Il ne se dit pas : « J'ai servi d'une manière. De quelle autre vais-je servir ? » Pourquoi ? Parce que servir, c'est un don de soi dont il n'est pas capable, auquel il ne pense même point... » Elle s'arrêta. N'était-ce pas, hélas ! une autre façon de pousser le cri dont elle avait honte, ce « qu'il m'aimât » désespéré ? Puis fermement : « J'ai regardé bien en face cette vérité de son caractère. Je le voyais si autre !... J'imaginais à son sort d'aujourd'hui des raisons si différentes, un passé romanesque, des malheurs de famille où il avait été une victime volontaire, le sacrifice de sa fortune pour payer des dettes paternelles. Que sais-je ?... Merci, monsieur Jaffeux, de m'avoir aidée à sortir de ce mirage, et merci également du rêve que vous aviez fait pour moi, quand vous avez deviné ma folie. C'en était une. Je ne dirai pas que j'en suis guérie... » Et quel douloureux sourire encore accompagnait cet aveu ! – « Mais j'aurai de la force, parce que j'ai à servir, moi... » Et d'un geste elle montrait son frère et sa mère qui débouchaient de la véranda de l'hôtel – : « à la soigner, elle, à soutenir Gilbert, puisqu'il peut être si faible. J'ai failli perdre cette notion de mes devoirs, ces temps-ci. Cette lumière était trop douce, cette végétation trop belle, ces horizons trop charmeurs, et ce roman que je me faisais de sa destinée, à lui, m'intéressait trop... C'est fini... »

Ces phrases de la jeune fille, Jaffeux se les répétait, en suivant des yeux ces trois silhouettes, qui s'éloignaient maintenant de ce pas paisible. Et voici que les épisodes de ces quelques jours et l'actuelle existence de son ancien secrétaire prenaient pour lui une valeur de symbole. Certes, le métier du « pauvre danseur mondain, » comme Neyrial s'appelait lui-même pathétiquement, n'était que le paradoxe excentrique d'un garçon de bonne famille, dévoyé par une première faute. Mais les deux hérédités contradictoires, transmises par ses ascendants, se manifestaient par la façon dont ce fils d'un père indigne et d'une si noble mère le prenait, ce métier, avec tant de probité à la fois et de légèreté. Tout au contraire, le redressement subit de Gilbert et de sa sœur, lui, dans son repentir, elle, dans le brisement de son amour, attestait la présence en eux de la vigueur d'âme empruntée au foyer paternel. Ils avaient pu se débattre contre cette discipline, mais ils l'avaient reçue avec leur sang, – Renée avait bien dit, – et ils s'y rattachaient par le fond même de leur être dès la première grande épreuve. Le traditionaliste qu'était Jaffeux trouvait là une confirmation de la grande vérité sociale qu'il avait méconnue en souhaitant d'unir le fils du viveur parisien qu'avait été Auguste Beurtin et la fille du colonel Favy. Un mariage heureux suppose une identité morale des familles, et Renée avait si justement, si tristement marqué le point de séparation entre elle et Pierre Stéphane, quand elle condamnait en lui l'abolition du sens du service. Oui, mieux valait qu'il fût parti au loin et qu'elle ne le revît pas, car jamais ce sens du service ne naîtrait chez ce soldat de la grande guerre, puisque cette guerre ne le lui avait pas donné, et que ces quatre terribles années n'avaient été « qu'un accident héroïque ». Quelle parole l'amoureuse déçue avait prononcée là, si profonde, et qui éveillait de telles résonances dans l'intelligence et le cœur de l'avocat ! Que de fois, depuis la victoire, la mentalité des générations sorties de la fournaise avait inquiété son patriotisme ! Cet état d'âme que la jeune fille s'épouvantait de rencontrer chez le blessé de

Verdun, devenu danseur dans un palace, était-il particulier à celui-ci, ou bien, comme l'ancien « poilu » le prétendait lui-même, fallait-il voir là un cas entre bien d'autres d'une maladie qui menaçait de s'étendre à tout le pays, une impossibilité à se réadapter à une vie normale. Et sa pensée se repliant sur sa propre personne, Jaffeux se surprit disant à mi-voix : « Cette enfant a raison. À moi aussi, elle vient de me dicter mon devoir. Il faut *servir*, et on le peut à tout âge. Pour Pierre-Stéphane, je ne peux plus rien en ce moment. Mon *service* était, après son vol, de lui rendre ce qu'il appelle si justement le sursaut de l'honneur. Je le lui ai rendu. Qu'il fasse son destin à son idée maintenant. Nous nous reverrons certainement. Il voudra s'expliquer encore, plus tard, devant le seul témoin de toute sa vie qu'il puisse avoir. Alors je pourrai peut-être l'aider de nouveau, mais il est un autre *service* plus général qui ne m'est pas particulier. C'est le nôtre, à nous les aînés, si vraiment il y a beaucoup de jeunes gens comme celui-ci : maintenir dans le milieu où nous évoluons un *tonus* moral, empêcher à tout prix que, pour la France aussi, ces quatre années de guerre n'aient été qu'un accident héroïque. – J'essaierai de ne pas y manquer. »

Chantilly, septembre 1925.
Costebelle, janvier 1926.

FIN

Milton Keynes UK
Ingram Content Group UK Ltd.
UKHW050640231023
431165UK00010B/439

9 791041 839797